LES 200 MEILLEURES RECETTES DE

LA CUISINE
VÉGÉTARIENNE

LES 200 MEILLEURES RECETTES DE

LA CUISINE VÉGÉTARIENNE

Conseillère éditoriale : LINDA DOESER

Traductrice : GHISLAINE TAMISIER-ROUX

Sélection Champagne inc.

Édition originale 1998 au Royaume-Uni par Prospero Books
sous le titre *Best-ever Vegetarian*

© 1998, Anness Publishing Limited
© 1999, Manise, une marque des Éditions Minerva
(Genève, Suisse) pour la version française

Éditrice : Joanna Lorenz
Éditrice Cuisine : Linda Fraser
Responsable du projet : Sarah Duffin
Styliste : Bill Mason
Illustratrice : Anna Koska

Traduction : Ghislaine Tamisier-Roux

ISBN 2-84198-120-7

Dépôt légal : mars 1999

Imprimé à Hong Kong

Distribué par
Sélection Champagne Inc.
Montréal, Québec
(514) 595-3279

Sommaire

Introduction

QUE CE SOIT POUR DES RAISONS DE SANTÉ ou par conviction
personnelle, de plus en plus de personnes renoncent aux aliments
d'origine animale pour adopter un régime végétarien.
Mais rassurez-vous : il y a bien une gastronomie sans la viande !
Compte tenu de l'abondance de légumes et de fruits frais,
d'épices et d'aromates, d'amandes, de noix et autres fruits secs,
de céréales, de lentilles et de pâtes dont nous disposons aujourd'hui,
les possibilités de réaliser des recettes variées et originales
n'ont jamais été aussi grandes.

∽

Les végétariens ne sont d'ailleurs pas les seuls à apprécier la cuisine
végétarienne ! La fraîcheur, la légèreté et l'innovation qui
caractérisent les recettes d'aujourd'hui sont vraiment séduisantes,
au détriment de bon nombre de plats plus lourds que l'on trouve
dans la cuisine traditionnelle. Cet ouvrage rassemble un large
éventail des meilleures recettes végétariennes du monde entier,
qui allient saveurs et textures exceptionnelles.

∽

Dites-moi ce que vous mangez, et je vous dirai qui vous êtes…
On nous invite constamment à choisir un régime alimentaire riche
en hydrates de carbone complexes. Or, les céréales, les fruits et
les légumes qui constituent la base de la cuisine végétarienne en
contiennent de grandes quantités. Une alimentation équilibrée doit
par ailleurs être pauvre en graisses. Si vous consommez des produits
laitiers, il vous suffit de choisir du lait écrémé ou demi-écrémé, des
yaourts maigres et des fromages allégés pour limiter votre apport de
matières grasses. En n'utilisant que des huiles insaturées comme les
huiles d'olive, de tournesol, de maïs ou d'arachide, vous réduirez
en outre considérablement votre consommation de « mauvais gras ».

∽

Ce livre vous invite à découvrir la cuisine végétarienne,
depuis de petits encas vite prêts jusqu'à des dîners de fête
plus élaborés. Chacune des recettes présentées dans cet
ouvrage apporte enfin la preuve que la cuisine végétarienne
n'est pas seulement une façon saine de se nourrir, mais
aussi un grand moment de plaisir et de gourmandise.

Légumes frais

Les végétariens disposent d'une palette de légumes frais plus importante qu'autrefois.

Ail
Ces petits bulbes ronds et fermes recouverts d'une peau parcheminée ont une saveur très particulière.

Asperges
Les asperges ont une saveur riche et prononcée. Elles sont délicieuses servies avec du beurre fondu ou accompagnées d'une vinaigrette.

Brocolis
Rapides et faciles à préparer, les brocolis se mangent aussi bien crus, accompagnés de diverses sauces, que cuits.

Carottes
Sucrées et parfumées, les carottes sont aussi savoureuses crues que cuites.

Céleri
Avec son parfum particulier, le céleri est parfait pour agrémenter les soupes.

Céleri-rave
Ce délicieux tubercule a un goût très parfumé.

Champignons
Champignons des bois ou de couche, ils constituent l'un des ingrédients de base de la cuisine végétarienne.

Chou
Il existe de nombreuses variétés de choux. Attention de ne pas trop faire cuire ce légume.

Chou-fleur
De saveur fraîche et agréable.

Concombre
Il allie une saveur délicate à une consistance croquante unique.

Courgettes
Ces légumes très tendres ont un goût délicat.

Échalotes
Ces petits bulbes sont parfaits pour relever une sauce.

Fenouil
Un légume croquant et délicieusement anisé.

Fèves
Ces sortes de gros haricots sont délicieux cuits à la vapeur. Les fèves accompagnent à merveille les aliments au goût très prononcé.

Gombos
Les gombos ou «cornes grecques» donnent une consistance crémeuse et soyeuse aux plats de légumes.

**Haricots à rames ou
haricots verts grimpants**
Leur saveur est plus prononcée que
celle des haricots verts traditionnels.

Maïs doux
Croqué à même l'épi avec un peu de
beurre et de sel, le maïs doux est un
véritable délice. On trouve également
des mini-épis que l'on peut faire sauter.

Navets
Doux, avec un petit goût de noisette,
les navets sont de taille très variée : il
en existe de tout petits, à peine plus
gros qu'une noix.

Oignons
Il en existe de nombreuses variétés. On
peut les faire revenir, dorer, sauter,
roussir, ou bien les consommer crus
dans les salades.

Petits pois
Rien ne vaut des petits pois frais, si
tendres et si doux. Profitez-en lorsque
c'est la saison.

Piments
De la famille des capsicum, comme les
poivrons, ces petits légumes peuvent
être féroces !

Poireaux
Un légume au subtil parfum d'oignon
que l'on peut consommer de manière
très variée.

Pommes de terre
Riches en hydrates de carbone, les
pommes de terre peuvent être prépa-
rées de diverses façons : bouillies,
frites, rissolées, sautées, en purée ou
encore en robe des champs.

Potiron
Sous sa peau épaisse et coriace se cache
une chair parfumée d'un bel orangé
plus ou moins vif.

Salade verte
Il en existe de nombreuses variétés.
Elle entre dans la composition de la
plupart des salades.

Tofu
Cette pâte de soja non fermenté est
vendue sous la forme de pains rectan-
gulaires plus ou moins fermes.

Tomates
Il en existe de toutes les formes et de
toutes les tailles. Les tomates constituent l'ingrédient de base de nombreuses recettes végétariennes.

Œufs et produits laitiers

Les progrès réalisés dans la distribution nous permettent d'acheter une grande variété de produits laitiers d'origine locale ou d'importation.

Brie
Ce fromage doux à pâte molle est riche et crémeux, parfois coulant.

Camembert
Fabriqué à partir de lait de vache, il a un arrière-goût légèrement acide.

Cheddar
Ce fromage à pâte dure est fabriqué avec du lait de vache. Utilisé en cuisine, on le consomme aussi en fin de repas. C'est l'équivalent anglais de l'emmental.

Dolcelatte
Ce fromage crémeux italien est l'un des bleus les plus doux qui soient.

Feta
Ce fromage grec à base de lait de brebis a une consistance friable.

Fromage blanc ou fromage frais
C'est une préparation à base de lait écrémé fermenté.

Fromage de chèvre
Frais, le fromage de chèvre est tendre et crémeux. En vieillissant, il durcit et son goût s'intensifie.

Mozzarella
Ce fromage italien à base de lait de bufflonne, ou, plus couramment, de lait de vache, est doux et crémeux.

Œufs
Utilisés pour confectionner des plats salés et des desserts, les œufs sont une importante source de protéines.

Parmesan
Ce fromage italien à pâte dure a un merveilleux parfum qui lui est propre.

Ricotta
Ferme sans être sèche pour autant, la ricotta est parfaite pour confectionner des desserts.

Roquefort
Ce fromage confectionné avec du lait de brebis est l'un des bleus les plus forts en goût.

Stilton
Fromage bleu anglais tendre et crémeux.

Yaourt
Nourrissant, le yaourt est néanmoins très digeste. Il en existe diverses variétés, comme le yaourt allégé, à la grecque, ou issu de l'agriculture biologique.

Lentilles et légumes secs

Les légumes secs sont une bonne source de protéines. Il est recommandé de bien les laver et de les faire tremper toute une nuit avant de les faire cuire.

Cornilles

Ces petits haricots couleur crème sont reconnaissables à leur petite tache noire, leur « œil ». Cuits, ils sont de consistance crémeuse et ont un goût légèrement fumé.

Flageolets

Ces petits haricots ovales sont soit blancs, soit vert pâle. De saveur très douce, ils sont nourrissants.

Haricots blancs

Il existe plusieurs variétés de ces petits haricots ovales (haricots blancs proprement dits, cocos, lingots, etc.). Ils sont parfaits pour confectionner des plats mijotés, car ils conservent leur forme et absorbent épices et aromates.

Haricots rouges

Ces haricots réniformes d'un beau rouge foncé tirant sur le brun sont très parfumés.

Lentilles blondes

Très courantes, ces lentilles entrent souvent dans la composition des plats végétariens.

Lentilles « Toovar dhal »

Ces pois cassés orangés ont un parfum rustique très caractéristique.

Lentilles vertes

Ces lentilles qui ne s'écrasent pas en cuisant ont un parfum assez prononcé. Les meilleures en France proviennent de la région du Puy.

Pois chiches

Ces gros pois ronds et beiges ont une fois cuits un goût de noisette très prononcé. On peut également les moudre pour obtenir une farine.

Soja vert

Ces petites pousses vertes ont un goût légèrement sucré et une consistance crémeuse. C'est en les faisant germer que l'on obtient les fameux germes de soja.

Épices

Les épices peuvent littéralement transformer un plat. Chacune est unique, et c'est souvent la combinaison de plusieurs épices et aromates qui donne à un plat sa saveur particulière.

Anis étoilé
Également appelé badiane, l'anis étoilé se distingue par son parfum et son goût de réglisse.

Cannelle
On la trouve en bâtons ou en poudre. Les premiers ne se mangent pas, mais servent simplement à parfumer les plats.

Cardamome
Ces gousses sont souvent utilisées entières pour parfumer les plats à base de riz.

Clous de girofle
On les mélange souvent à d'autres épices pour parfumer aussi bien les plats salés que les plats sucrés.

Cumin
On le trouve entier, sous forme de graines marron foncé, ou bien en poudre.

Curcuma
C'est une poudre jaune vif surtout utilisée pour ses propriétés colorantes.

Gingembre
Le gingembre, aussi bien frais qu'en poudre, a une saveur puissante et rafraîchissante. Il faut peler la racine de gingembre frais avant de l'utiliser.

Graines de fenouil
Petites graines vert pâle, dont l'odeur et le goût rappellent ceux de la graine d'anis. On se sert des graines pilées pour la confection de nombreux currys, ainsi qu'en pâtisserie.

Graines de moutarde
Souvent employées avec des légumes frais ou secs, les graines de moutarde donnent aux plats un goût de noisette.

Noix de muscade
Entière et râpée ou bien en poudre, la noix de muscade a une saveur douce qui rappelle la noisette.

Safran
Les stigmates séchés de la fleur de safran (souvent appelés filaments) sont utilisés pour leur arôme et leur couleur.

Tamarin
Le tamarin a un goût âcre spécifique.

Aromates

On trouve aujourd'hui dans le commerce de magnifiques bouquets d'aromates frais du monde entier. La liste ci-dessous met à la fois l'accent sur des herbes très couramment utilisées et sur d'autres aromates moins connus.

Aneth
Une herbe à la saveur douceâtre, peu astringente, avec des accents anisés.

Basilic
Connu pour ses affinités avec la tomate, le basilic a une saveur poivrée, mêlant le parfum de la cannelle à celui de l'anis.

Ciboulette
Cet aromate a un parfum d'oignon très délicat.

Coriandre
Une herbe aromatique, douce et relevée, dont les feuilles sont parfois utilisées en guise de garniture.

Estragon
Cette herbe a un doux parfum d'anis.

Laurier
Les feuilles de cet arbre comptent parmi les aromates les plus anciens utilisés en cuisine. Fraîches, elles ont une saveur très parfumée.

Marjolaine
Ressemble beaucoup à l'origan, mais sa saveur est encore plus délicate.

Menthe
On utilise cette herbe aromatique à l'odeur caractéristique aussi bien pour parfumer des plats salés que des desserts.

Origan
Une herbe aromatique très parfumée couramment employée dans la cuisine italienne.

Persil plat
Plus parfumé que son homologue à feuilles frisées, mais tout aussi riche en vitamines et en sels minéraux.

Romarin
Le romarin a de feuilles fines vert foncé. Il doit être utilisé avec modération car son parfum est puissant.

Sauge
Les huiles essentielles que contient la sauge lui donnent le puissant parfum qui la caractérise.

Thym
Une herbe aromatique robuste à la saveur rustique et méditerranéenne. On peut utiliser des brins entiers pour garnir un plat.

Ingrédients secs

Dans la mesure où vous avez certainement dans vos placards de la farine, du sucre et des fruits secs, voici une liste d'articles supplémentaires précieux pour cuisiner rapidement.

Amandes

Achetez vos fruits secs en petites quantités et conservez-les dans un endroit sec. Amandes, noix de cajou, cacahuètes, noix de pécan ou pacanes, pignons et noix sont tous largement utilisés dans les recettes proposées dans cet ouvrage.

Boulgour

Ce blé complet est séché à la vapeur et brisé avant d'être commercialisé, de sorte qu'il suffit de le faire tremper brièvement avant de le faire cuire. Conservez-le dans un endroit sec et frais, ainsi vous pourrez le garder plusieurs mois.

Cannelle en poudre

Une épice douce et parfumée provenant de l'écorce intérieure d'un arbre tropical que l'on a roulée, fait sécher puis pilée.

Cardamome en poudre

Parfumée avec un arrière-goût épicé, la cardamome est utilisée aussi bien dans les plats salés que dans les desserts.

Poudre cinq-épices

Originaire de Chine, ce mélange de fagara ou de poivre du Sichuan, de cannelier-casse ou bien de cannelle, de graines de fenouil, d'anis étoilé et de clous de girofle a un goût anisé caractéristique qui ouvre l'appétit.

Coriandre en poudre

Avec son arôme chaleureusement épicé, la coriandre en poudre relève les plats de façon douce tout en leur donnant du goût.

Cumin en poudre

Douce et relevée à la fois, cette épice au parfum unique et caractéristique est couramment employée dans la cuisine asiatique.

Curcuma en poudre

Avec son léger goût de moisi, cette épice colore la nourriture en un beau jaune d'or. Elle est parfois utilisée pour remplacer le safran dont elle n'a cependant pas la saveur.

Garam masala

Ce mélange aromatique de plusieurs épices est largement utilisé dans la cuisine indienne. On l'ajoute généralement en fin de cuisson. À utiliser avec modération en raison de son parfum très puissant.

Graines de carvi

Ces petites graines brun verdâtre ont la consistance d'une amande. Leur saveur rappelle celle de l'anis ou du fenouil.

Maïzena

La maïzena ou fleur de maïs est souvent utilisée pour épaissir les sauces.

Pâtes

Si l'on préfère généralement employer des pâtes fraîches, plus savoureuses et plus vite cuites, les pâtes sèches sont un ingrédient de base essentiel. Vous les utiliserez sous toutes leurs formes, depuis les spaghettis jusqu'aux vermicelles (italiens et asiatiques).

Piment en poudre

Cette poudre est plus ou moins forte selon la variété de piments qu'elle contient.

Piments secs

On fait souvent revenir dans l'huile ces piments séchés pour libérer leur puissant parfum. Les plus petits sont les plus forts.

Poivre en grains

Le poivre noir est généralement utilisé moulu, mais on peut aussi l'employer en grains.

Riz

Si vous ne stockez qu'un seul type de riz, prenez du basmati, plus parfumé et dont les grains sont plus longs. Un mélange de basmati et de riz sauvage (qui n'est pas véritablement une variété de riz, mais les graines d'une herbe aquatique) donne de bons résultats.

Safran

C'est l'épice la plus chère du monde. Elle exhale une odeur astringente, tandis que sa saveur est légèrement aigredouce. Écrasez les stigmates ou filaments et faites-les infuser dans un peu de liquide avant de les utiliser.

Riz

Curcuma en poudre

Cumin en poudre

Graines de carvi

Nouilles chinoises aux œufs

Sucre semoule

Noix

Penne

*Pacanes ou
noix de pécan*

Spaghettis

Garam masala

Boulgour

Maïzena

Piments séchés

Quatre-épices

Poivre noir en grains

Poudre cinq-épices

Pignons

Graines de pavot

Piment en poudre

Coriandre en poudre

Sel de mer

Thym

Riz basmati

Sucre cristallisé

Conserves

Vous devriez toujours avoir dans votre garde-manger de quoi préparer un bon repas végétarien. Pour ce faire, les conserves constituent le complément indispensable des ingrédients secs que nous venons de passer en revue. Commencez par vous procurer les ingrédients de base, puis complétez vos réserves en fonction de votre expérience. Achetez toujours dans la mesure du possible les produits en petites quantités, et surveillez les dates de péremption.

Beurre clarifié
Largement utilisé dans la cuisine indienne, le beurre clarifié est généralement vendu en pain ou en pot.

Concentré de tomates
Vendu en boîte de conserve, en bocal ou en tube. Il en existe même une qualité préparée à partir de tomates séchées au soleil.

Huile d'arachide
Le goût neutre de cette huile ne masquera pas les parfums les plus délicats. Elle se prête particulièrement bien à la friture. Vous pouvez la remplacer par de l'huile de tournesol si vous préférez.

Huile de sésame
Très appréciée dans la cuisine orientale pour son parfum, cette huile riche peut être utilisée seule ou bien mélangée avec une autre huile végétale.

Huile d'olive
Si vous ne stockez qu'une seule huile, optez pour une bonne huile d'olive, elle couvrira tous vos besoins (hormis la friture). Réservez l'huile d'olive vierge extra, plus chère, pour les salades.

Huile pimentée
Utilisez cette huile piquante avec modération pour réveiller légumes sautés et autres plats de ce genre.

Légumes secs en boîte
Les pois chiches, les lentilles vertes et les haricots blancs donnent de bonnes conserves. Lavez-les sous l'eau froide et égouttez-les bien avant de les utiliser.

Légumes verts en boîte
Bien qu'il soit généralement préférable de cuisiner avec des légumes frais, certaines conserves s'avèrent très utiles. Ainsi, les cœurs d'artichaut à la saveur douce légèrement sucrée sont parfaits pour agrémenter les sautés, les salades, les risottos ou les pizzas. On trouve par ailleurs en boîte des poivrons rouges entiers, pelés et égrenés, qui sont pratiques pour préparer soupes et plats mijotés. Préférez cependant les poivrons frais pour les autres recettes car les premiers n'ont plus la fermeté et le croquant nécessaires dans des plats comme les sautés. Les tomates en boîte constituent enfin un ingrédient de base que vous devez toujours avoir en réserve. Il en existe maintenant une large gamme : entières ou concassées, natures ou aromatisées avec des herbes, des épices ou différents parfums. Parmi les autres légumes qu'il est utile d'avoir en boîte, citons la ratatouille et le maïs doux.

Moutarde à l'ancienne
Utilisée aussi bien pour cuisiner qu'en guise de condiment.

Passata
Cette sauce tomate épaisse essentiellement employée dans la cuisine italienne est préparée à partir de tomates passées au chinois. Ressemble beaucoup au coulis de tomates.

Pâte de sésame (« tahini »)
Confectionnée à partir de graines de sésame, cette pâte est utilisée dans la cuisine du Moyen-Orient.

Sauce aux haricots noirs
Une épaisse sauce aromatique à base de soja noir, utilisée pour les marinades et les plats sautés.

Sauce de soja
Une sauce noire, salée et très liquide, préparée à partir de soja fermenté. Ajoutez-en quelques gouttes en fin de cuisson et laissez la bouteille sur la table pour que les convives puissent éventuellement en rajouter.

Tomates séchées
Ces tomates séchées au soleil ont un goût délicieusement sucré. Elles sont vendues en sachet ou bien en bocal, marinées dans de l'huile d'olive.

Pâte de sésame (« tahini »)

Tomates concassée

Pois chiches

Concentré de tomates

Mélasse

Vin rouge

Sauce pimentée

Passata (coulis de tomates italie

Vinaigre aromatisé
aux herbes

Maïs doux

Vinaigre de vin blanc

Poivrons rouges

Huile pimentée

Tapenade

Sauce de soja

Sauce aux
haricots noirs

ts rouges

Lentilles blondes

Piments marinés
à l'huile

Tomates pelées

Moutarde à l'ancienne

Miel

Pâte de sésame (« tahini »)

Huile d'arachide

Vinaigre de
vin rouge

Beurre clarifié

Vinaigrette

Olives noires

Vinaigre balsamique

Huile d'olive

LES SOUPES
ET POTAGES

~

Soupe aux champignons des bois

Les champignons des bois sont chers, mais les cèpes séchés ont un parfum si puissant qu'une toute petite quantité suffit.

INGRÉDIENTS

Pour 4 personnes

25 g • 1 oz • 2 tasses de cèpes séchés
30 ml • 2 cuil. à table d'huile d'olive
15 g • 1/2 oz • 1 cuil. à table de beurre
2 poireaux émincés
2 échalotes grossièrement hachées
1 gousse d'ail grossièrement hachée
225 g • 8 oz de champignons des bois frais
1,2 l • 5 tasses environ de bouillon de légumes
2.5 ml • 1/2 cuil. à thé de thym séché
150 ml • 2/3 tasse de crème fraîche épaisse
sel et poivre noir fraîchement moulu
quelques brins de thym frais pour garnir

4 Versez à peu près les 3/4 de la soupe dans un mixer et mixez jusqu'à obtention d'un mélange homogène. Ajoutez la crème fraîche à la soupe restée dans la casserole et chauffez le tout. Vérifiez la consistance et rajoutez du bouillon si besoin est. Rectifiez éventuellement l'assaisonnement. Servez bien chaud, garni de quelques brins de thym frais.

1 Mettez les cèpes séchés dans un saladier, ajoutez 250 ml • 8 oz • 1 tasse d'eau tiède et faites-les tremper pendant 20 à 30 minutes. Retirez-les du saladier et pressez-les dans la main pour en exprimer le plus d'eau possible. Filtrez l'eau de trempage et réservez-la. Hachez finement les cèpes.

2 Chauffez l'huile et le beurre dans une grande casserole jusqu'à ce qu'ils se mettent à mousser. Ajoutez ensuite les poireaux émincés, les échalotes et l'ail hachés et faites-les revenir pendant 5 minutes environ en remuant souvent, jusqu'à ce qu'ils aient ramolli mais pas encore changé de couleur.

3 Hachez ou émincez les champignons frais et ajoutez-les. Faites cuire à feu moyen en remuant constamment pendant quelques minutes jusqu'à ce qu'ils commencent à ramollir. Versez le bouillon et portez à ébullition. Ajoutez ensuite les cèpes, l'eau de trempage et le thym séché, puis salez et poivrez. Baissez le feu, couvrez à demi et laissez cuire à feu doux pendant 30 minutes en remuant de temps en temps.

LE CONSEIL DU CHEF

Un cuisinier italien préparerait cette soupe en mélangeant cèpes frais et cèpes séchés, mais si vous avez du mal à trouver des cèpes frais, vous pouvez les remplacer par d'autres champignons des bois, des chanterelles par exemple.

Soupe de tomates au basilic frais

Une soupe idéale à la fin de l'été,
lorsque les tomates fraîches sont
le plus parfumées.

INGRÉDIENTS

Pour 4 à 6 personnes

15 ml • 1 cuil. à table d'huile d'olive

25 g • 1 oz 2 cuil. à table de beurre

1 oignon de taille moyenne finement haché

900 g • 2 lb de tomates olivettes ou Roma
   bien mûres, grossièrement hachées

1 gousse d'ail grossièrement hachée

environ 750 ml • 3 tasses de bouillon de
   légumes

120 ml • 4 oz • ¹/₂ tasse de vin blanc sec

30 ml • 2 cuil. à table de concentré de tomates
   préparé à partir de tomates séchées

30 ml • 2 cuil. à table de basilic frais ciselé

150 ml • ²/₃ tasse de crème fraîche épaisse

sel et poivre noir fraîchement moulu

feuilles de basilic entières pour garnir

1 Chauffez l'huile et le beurre dans une grande cocotte jusqu'à ce qu'ils se mettent à mousser. Ajoutez l'oignon et faites-le revenir douce-ment pendant 5 minutes en remuant, jusqu'à ce qu'il ramollisse mais sans dorer pour autant.

2 Incorporez les tomates et l'ail hachés, puis le bouillon, le vin blanc et le concentré de tomates séchées. Salez et poivrez à votre goût. Portez à ébullition, puis baissez le feu, couvrez à demi et laissez frémir doucement pendant 20 minutes, en remuant de temps en temps pour éviter que les tomates attachent au fond de la cocotte.

3 Passez la soupe avec le basilic ha-ché au mixer, puis versez-la au tra-vers d'un chinois dans une casserole.

4 Mettez la crème fraîche et chauf-fez en remuant. Ne laissez pas la soupe approcher de son point d'ébul-lition. Vérifiez la consistance et ajou-tez un peu de bouillon si besoin est, puis rectifiez l'assaisonnement. Ver-sez la soupe dans des bols ou des assiettes préchauffés et garnissez de basilic. Servez immédiatement.

Crème de courgettes

*Cette soupe d'une couleur délicate
allie une consistance riche et
crémeuse à un goût subtil. Si vous
préférez que le goût du fromage
soit plus prononcé, remplacez
le dolcelatte par du gorgonzola.*

INGRÉDIENTS

Pour 4 à 6 personnes

30 ml • 2 cuil. à table d'huile d'olive

15 g • ½ oz • 1 cuil. à table de beurre

1 oignon de taille moyenne,
    grossièrement haché

900 g • 2 lb de courgettes lavées et émincées

5 ml • 1 cuil. à thé d'origan séché

environ 600 ml • 2½ tasses de bouillon de légumes

115 g • 4 oz de dolcelatte débarrassé de sa
    croûte et coupé en dés

300 ml • 1¼ tasses de crème fraîche liquide

sel et poivre noir fraîchement moulu

origan frais, un peu de dolcelatte
    et de crème pour garnir

2 Incorporez les courgettes émincées et l'origan, puis salez et poivrez à votre goût. Faites sauter à feu
moyen 10 minutes en remuant souvent, puis versez le bouillon et portez
à ébullition sans cesser de mélanger.

3 Baissez le feu, couvrez la cocotte
à demi et laissez frémir doucement 30 minutes en remuant de
temps en temps.

4 Ajoutez le dolcelatte coupé en
dés et mélangez jusqu'à ce qu'il
ait fondu. Passez la soupe au mixer
jusqu'à obtention d'un mélange
homogène, puis filtrez-la au chinois
et versez-la dans une cocotte.

5 Ajoutez les 2/3 de la crème
fraîche et chauffez à feu doux en
remuant jusqu'à ce que la soupe soit
bien chaude, mais pas bouillante.
Rajoutez un peu de bouillon ou
d'eau si elle est trop épaisse. Vérifiez
l'assaisonnement, puis versez dans
des bols ou des assiettes préchauffés.
Ajoutez le reste de crème, puis servez
la soupe, garnie d'origan, de fromage
émietté, d'un filet de crème et d'un
peu de poivre grossièrement moulu.

1 Chauffez l'huile et le beurre dans
une grande cocotte jusqu'à ce
qu'ils se mettent à mousser. Ajoutez
l'oignon et faites-le revenir doucement pendant 5 minutes en remuant
fréquemment, jusqu'à ce qu'il ramollisse sans dorer.

LE CONSEIL DU CHEF

Pour gagner du temps, coupez
et jetez l'extrémité des courgettes,
puis coupez les légumes en trois
et émincez-les
à l'aide d'un mixer muni
d'une lame métallique.

Soupe aux épinards, aux pois chiches et à l'ail

*Cette soupe épaisse et crémeuse,
délicieusement parfumée, fait
un excellent plat unique.*

INGRÉDIENTS

Pour 4 personnes

30 ml • 2 cuil. à table d'huile d'olive

4 gousses d'ail pressées

1 oignon grossièrement haché

10 ml • 2 cuil. à thé de cumin en poudre

10 ml • 2 cuil. à thé de coriandre en poudre

1,2 l • 5 tasses de bouillon de légumes

350 g • 12 oz de pommes de terre pelées
et finement hachées

425 g • 15 oz de pois chiches en boîte égouttés

15 ml • 1 cuil. à table de maïzena

150 ml • ²/₃ tasse de crème fraîche épaisse

30 ml • 2 cuil. à table de tahini (pâte de
sésame)

200 g • 7 oz d'épinards ciselés

piment de Cayenne

sel et poivre noir fraîchement moulu

1 Chauffez l'huile dans une grande
casserole et faites revenir l'ail et
l'oignon pendant 5 minutes, jusqu'à
ce qu'ils aient ramolli et doré.

2 Ajoutez le cumin et la coriandre
et poursuivez la cuisson en
remuant encore 1 minute.

3 Incorporez le bouillon et les
pommes de terre coupées en
morceaux, puis portez à ébullition et
laissez frémir 10 minutes. Ajoutez
ensuite les pois chiches et laissez
frémir 5 minutes de plus, jusqu'à ce
que les pommes de terre et les pois
chiches soient juste tendres.

4 Mélangez la maïzena, la crème
fraîche, la pâte de sésame et
assaisonnez. Ajoutez ce mélange à la
soupe en même temps que les épinards. Portez à ébullition tout en
remuant, puis laissez frémir 2 minutes
supplémentaires. Assaisonnez avec
du piment de Cayenne, du sel et du
poivre noir. Servez immédiatement,
saupoudré d'un peu de piment.

Gratinée à l'oignon

Lorsque l'on prépare une gratinée en suivant attentivement la recette, les oignons caramélisent presque, prenant alors une belle couleur acajou. Cette délicieuse recette est parfaite pour un dîner d'hiver.

INGRÉDIENTS

Pour 4 personnes

4 gros oignons

30 ml • 2 cuil. à table d'huile de tournesol
ou d'olive, ou bien 15 ml • 1 cuil. à table
de chaque

25 g • 1 oz • 2 cuil. à table de beurre

900 ml • 3³/₄ tasses de bouillon de légumes

4 tranches de baguette

40 à 50 g • 1¹/₂ à 2 oz de gruyère râpé

sel et poivre noir fraîchement moulu

1 Épluchez les oignons et coupez-les en quatre, puis en morceaux de 5 mm • ¹/₄ pouce de longueur. Chauffez l'huile et le beurre dans une casserole profonde, de préférence avec un fond de diamètre moyen afin que les oignons forment une couche épaisse.

2 Faites revenir les oignons à feu vif quelques minutes, en remuant.

3 Baissez le feu et poursuivez la cuisson pendant 45 à 60 minutes. Au début, remuez les oignons de temps en temps seulement, mais lorsqu'ils commencent à changer de couleur, faites-le plus fréquemment. Les oignons dorent très progressivement, puis ils brunissent plus rapidement. Veillez à les mélanger souvent à ce moment-là pour éviter qu'ils attachent au fond de la casserole.

4 Lorsque les oignons sont d'une belle couleur acajou, ajoutez le bouillon de légumes et un peu d'assaisonnement. Laissez frémir partiellement couvert pendant 30 minutes, puis salez et poivrez.

5 Préchauffez le gril et faites griller les tranches de baguette. Répartissez la soupe dans quatre bols ou assiettes supportant la chaleur du four, puis posez une tranche de pain dans chaque récipient. Parsemez de fromage râpé et faites gratiner le tout pendant quelques minutes, jusqu'à ce que le fromage soit doré. Saupoudrez abondamment de poivre noir fraîchement moulu.

Soupe aux haricots blancs

Cette soupe consistante est originaire de la campagne toscane. Préparée à partir d'une épaisse purée de haricots secs, elle peut être servie aussi bien au déjeuner qu'au dîner.

INGRÉDIENTS

Pour 6 personnes

350 g • 12 oz • 1½ tasses de haricots blancs secs

1 feuille de laurier

75 ml • 5 cuil. à table d'huile d'olive

1 oignon de taille moyenne finement haché

1 carotte finement hachée

1 branche de céleri finement hachée

3 tomates de taille moyenne pelées et finement hachées

2 gousses d'ail finement hachées

5 ml • 1 cuil. à thé de feuilles de thym fraîches ou 2.5 ml • ½ cuil. à thé de thym séché

750 ml • 3 tasses d'eau bouillante

sel et poivre noir fraîchement moulu

huile d'olive pour servir

1 Triez soigneusement les haricots, en éliminant tous les cailloux et autres impuretés. Rincez-les longuement à l'eau froide pour qu'ils soient bien propres. Faites-les ensuite tremper dans un grand saladier d'eau froide toute la nuit. Le lendemain, égouttez-les, puis mettez-les dans une grande casserole d'eau. Portez à ébullition et faites-les cuire pendant 20 minutes. Égouttez-les. Remettez les haricots dans la casserole, recouvrez-les d'eau froide et portez à nouveau à ébullition. Ajoutez la feuille de laurier et faites cuire le tout jusqu'à ce que les haricots soient tendres, soit 1 à 2 heures environ. Égouttez-les une dernière fois et retirez la feuille de laurier.

2 Réduisez environ les 3/4 des haricots en purée à l'aide d'un mixer, ou bien passez-les au presse-purée, en ajoutant un peu d'eau si besoin est, afin d'obtenir une pâte bien homogène.

3 Chauffez l'huile dans une grande casserole. Ajoutez l'oignon, et faites-le revenir en remuant jusqu'à ce qu'il ramollisse. Mettez la carotte et le céleri, et poursuivez la cuisson pendant 5 minutes.

4 Incorporez les tomates, l'ail et le thym. Faites cuire le tout 6 à 8 minutes de plus en remuant souvent.

5 Versez dessus l'eau bouillante, puis ajoutez la purée de haricots et le reste de haricots entiers. Salez, poivrez et laissez frémir 10 à 15 minutes. Servez dans des bols ou des assiettes, garni d'un filet d'huile d'olive.

LE CONSEIL DU CHEF

On peut réaliser cette recette avec des haricots blancs en boîte. Il suffit alors de les rincer et de les égoutter avant de passer directement à l'étape n° 2.

Velouté d'asperges

L'idéal est de le préparer avec de jeunes asperges, plus tendres et plus fondantes. Servez cette soupe avec des tranches de pain très fines.

Pour 4 personnes

450 g • 1 lb de jeunes asperges

40 g • 1¹/₂ oz • 3 cuil. à table de beurre

6 échalotes émincées

15 g • ¹/₂ oz • 1 cuil. à table de farine

600 ml • 2¹/₂ tasses de bouillon de légumes ou d'eau

15 ml • 1 cuil. à table de jus de citron

250 ml • 8 oz • 1 tasse de lait

120 ml • ¹/₂ tasse de crème fraîche liquide

10 ml • 2 cuil. à thé de cerfeuil frais haché

sel et poivre noir fraîchement moulu

1 Coupez les pointes des asperges à 4 cm • 1¹/₂ pouces de l'extrémité et réservez-les pour garnir le velouté. Émincez le reste des asperges.

2 Faites fondre 25 g • 2 cuil. à table de beurre dans une grande cocotte et faites revenir les échalotes émincées pendant 2 à 3 minutes, jusqu'à ce qu'elles aient ramolli.

3 Ajoutez les asperges et faites-les revenir à feu doux 1 minute.

4 Incorporez la farine et poursuivez la cuisson en remuant 1 minute. Versez le bouillon ou l'eau et le jus de citron, puis salez et poivrez. Portez à ébullition, couvrez le faitout à demi, puis laissez frémir pendant 15 à 20 minutes, jusqu'à ce que les asperges soient bien tendres.

5 Laissez refroidir légèrement, puis passez la soupe au mixer jusqu'à ce qu'elle soit bien homogène. Passez-la ensuite au chinois et versez-la dans une casserole. Ajoutez le lait en le versant sur le chinois utilisé pour les asperges de façon à récupérer le maximum de purée d'asperges.

6 Faites fondre le reste de beurre et faites revenir doucement les pointes d'asperges pendant 3 à 4 minutes, afin qu'elles ramollissent.

7 Réchauffez le velouté doucement pendant 3 à 4 minutes. Ajoutez la crème fraîche et les pointes d'asperges. Continuez à réchauffer le tout à feu doux et servez parsemé de cerfeuil frais haché.

Soupe de lentilles à l'oignon et aux tomates

Cette soupe délicieuse est très nourrissante. Vous pouvez l'agrémenter de tranches de pain complet ou de pain aux céréales.

Pour 4 à 6 personnes

10 ml • 2 cuil. à thé d'huile de tournesol
1 gros oignon haché
2 branches de céleri hachées
175 g • 6 oz • ³/₄ tasse de lentilles blondes
2 grosses tomates pelées
   et grossièrement hachées
900 ml • 3³/₄ tasses de bouillon de légumes
10 ml • 2 cuil. à thé d'herbes de Provence
   séchées
sel et poivre noir fraîchement moulu
persil frais haché pour garnir

1 Chauffez l'huile dans une grande casserole. Mettez l'oignon et le céleri et faites-les revenir 5 minutes en remuant de temps en temps. Ajoutez les lentilles et poursuivez la cuisson 1 minute de plus.

2 Incorporez les tomates, le bouillon, les herbes de Provence, le sel et le poivre. Couvrez, portez à ébullition puis laissez frémir pendant 20 minutes environ, en remuant de temps en temps.

3 Lorsque les lentilles sont cuites et tendres, laissez refroidir la soupe légèrement.

4 Passez-la au mixer jusqu'à obtention d'une purée assez homogène. Vérifiez l'assaisonnement, puis reversez la soupe dans la casserole et réchauffez-la doucement jusqu'à ce qu'elle soit brûlante. Servez-la dans des bols ou des assiettes, garnie de persil haché.

Minestrone au basilic

Le minestrone est une soupe épaisse préparée à partir d'un assortiment de légumes de saison, auquel on ajoute parfois aussi des pâtes ou du riz. Celle que nous vous proposons ici est parfumée au basilic.

INGRÉDIENTS

Pour 6 personnes

45 ml • 3 cuil. à table d'huile d'olive
1 gros oignon finement haché
1 poireau émincé
2 carottes finement hachées
1 branche de céleri finement hachée
2 gousses d'ail finement hachées
2 pommes de terre pelées
   et coupées en dés
1,5 l • 6¼ tasses de bouillon de légumes
   chaud ou d'eau bouillante, ou bien
   encore un mélange des deux
1 feuille de laurier
1 brin de thym frais ou 1 bonne pincée
   de thym séché
125 g • 4 oz • ¾ tasse de petits pois frais
   ou surgelés

2 à 3 courgettes finement hachées
3 tomates de taille moyenne, pelées
   et finement hachées
425 g • 15 oz • 2 tasses de haricots blancs
   cuits ou en boîte, des lingots par
   exemple
45 ml • 3 cuil. à table de pesto (sauce
   italienne au basilic)
sel et poivre noir fraîchement moulu
parmesan frais râpé pour servir

1 Chauffez l'huile dans une casserole. Ajoutez l'oignon et le poireau et faites-les revenir en remuant pendant 5 à 6 minutes. Mettez les carottes, le céleri et l'ail, et poursuivez la cuisson à feu doux 5 minutes. Incorporez les pommes de terre et laissez cuire 2 à 3 minutes de plus.

2 Versez le bouillon chaud ou l'eau bouillante et remuez bien. Ajoutez les aromates, salez et poivrez. Portez à ébullition, baissez le feu et poursuivez la cuisson pendant 10 à 12 minutes.

3 Ajoutez les petits pois (s'ils sont frais) et les courgettes. Laissez frémir le tout 5 minutes supplémentaires, puis mettez les tomates et les petits pois (s'ils sont surgelés). Couvrez, puis faites bouillir 5 à 8 minutes.

4 Environ 10 minutes avant de servir, ajoutez les haricots. Laissez frémir encore 10 minutes, puis versez la sauce au basilic et poursuivez la cuisson 5 minutes. Retirez le minestrone du feu et laissez-le reposer quelques minutes avant de le servir accompagné de parmesan râpé.

Soupe au potiron

Cette délicieuse soupe orangée est parfaite pour un dîner d'automne.

INGRÉDIENTS

Pour 4 personnes

450 g • 1 lb de potiron pelé
50 g • 2 oz • ¼ tasse de beurre
1 oignon de taille moyenne
   finement haché
750 ml • 3 tasses de bouillon de légumes
   ou d'eau
450 ml • 2 tasses de lait
1 pincée de noix de muscade râpée
40 g • 1½ oz • 7 cuil. à table de spaghettis
   coupés en petits morceaux
90 ml • 6 cuil. à table de parmesan frais râpé
sel et poivre noir fraîchement moulu

1 Coupez le potiron en dés de 2,5 cm • 1 pouce de côté environ.

2 Chauffez le beurre dans une casserole. Mettez l'oignon et faites-le revenir à feu modéré jusqu'à ce qu'il ramollisse, soit 6 à 8 minutes. Ajoutez les morceaux de potiron et poursuivez la cuisson pendant 2 à 3 minutes.

3 Versez le bouillon ou l'eau et faites cuire le tout jusqu'à ce que le potiron soit tendre, soit pendant 15 minutes environ. Retirez du feu.

4 Passez la soupe au mixer, puis reversez-la dans la casserole. Ajoutez le lait et la muscade, remuez. Vérifiez l'assaisonnement, puis portez de nouveau la soupe à ébullition.

5 Incorporez les morceaux de spaghettis à la soupe. Lorsque les pâtes sont cuites, saupoudrez de parmesan et de muscade râpée. Servez immédiatement.

Soupe de courgettes aux pois cassés

Cette soupe nourrissante et très parfumée réchauffera vos convives par une froide journée d'hiver.

Pour 4 personnes

175 g • 6 oz • 1⁷/₈ tasses de pois cassés jaunes
1 oignon de taille moyenne finement haché
5 ml • 1 cuil. à thé d'huile de tournesol
2 courgettes de taille moyenne
    coupées en dés
900 ml • 3³/₄ tasses de bouillon de légumes
2.5 ml • ¹/₂ cuil. à thé de curcuma en poudre
sel et poivre noir fraîchement moulu
pain bien croustillant pour servir

3 Ajoutez le reste des courgettes dans la casserole et faites-les sauter 2 à 3 minutes. Versez le bouillon et le curcuma et portez à ébullition. Baissez le feu, couvrez et laissez frémir 30 à 40 minutes. Assaisonnez.

4 Lorsque la soupe est presque prête, portez une grande casserole d'eau à ébullition et faites blanchir les dés de courgettes restants 1 minute. Égouttez-les et ajoutez-les à la soupe. Servez très chaud, accompagné de pain croustillant tiède.

1 Mettez les pois cassés dans un saladier, couvrez-les d'eau froide et laissez-les tremper plusieurs heures, voire toute la nuit. Égouttez-les, rincez-les bien, puis égouttez-les à nouveau.

2 Faites revenir l'oignon à l'huile dans une casserole couverte, en remuant de temps en temps, jusqu'à ce qu'il ait bien ramolli. Réservez 1 poignée de dés de courgettes.

LE CONSEIL DU CHEF

Si vous manquez de temps, remplacez les pois cassés par des lentilles rouges : en effet, il n'est pas nécessaire de les faire tremper et elles cuisent très vite. Revoyez alors la quantité de bouillon nécessaire.

Soupe de carottes à la coriandre

La plupart des légumes-racines font d'excellentes soupes. Ils se réduisent facilement en purée et leur saveur rustique se marie bien avec les épices et les aromates. Les carottes notamment se prêtent à toutes sortes de préparations. Cette recette est simple mais d'une grande finesse, tant par son goût que par sa texture.

INGRÉDIENTS

Pour 4 à 6 personnes

450 g • 1 lb de carottes, de préférence
   nouvelles et bien tendres

15 ml • 1 cuil. à table d'huile de tournesol

40 g • 1¹/₂ oz • 3 cuil. à table de beurre

1 oignon haché

1 branche de céleri,
   plus 2 à 3 pointes feuillues vert pâle

2 petites pommes de terre pelées

1 l • 4 tasses de bouillon de légumes

10 à 15 ml • 2 à 3 cuil. à thé de coriandre en poudre

15 ml • 1 cuil. à table de coriandre fraîche hachée

200 ml • ⁷/₈ tasse de lait

sel et poivre noir fraîchement moulu

1 Lavez et épluchez les carottes, puis coupez-les en morceaux. Chauffez l'huile et 25 g • 2 cuil. à table de beurre dans une grande cocotte en terre ou une casserole à fond épais et faites revenir l'oignon à feu doux pendant 3 à 4 minutes, jusqu'à ce qu'il ait légèrement ramolli.

2 Émincez le céleri et coupez les pommes de terre en rondelles. Ajoutez-les à l'oignon, faites sauter le tout quelques minutes, puis incorporez les carottes. Faites revenir l'ensemble 3 à 4 minutes en remuant, puis couvrez.

3 Baissez encore le feu et laissez cuire à l'étouffée pendant une dizaine de minutes. Secouez la cocotte ou bien remuez de temps en temps pour que les légumes n'attachent pas.

4 Ajoutez le bouillon et portez le tout à ébullition. Couvrez à demi et laissez ensuite frémir 8 à 10 minutes de plus, jusqu'à ce que les carottes et les pommes de terre soient tendres.

5 Retirez 6 à 8 petites feuilles de céleri de leur tige et réservez-les pour la garniture. Hachez finement le reste des pointes de céleri (de façon à obtenir 15 ml • 1 cuil. à table environ de céleri haché). Faites fondre le reste de beurre dans une grande casserole et faites-y revenir la coriandre en poudre 1 minute environ, en remuant constamment.

6 Baissez le feu et ajoutez les pointes de céleri hachées et la coriandre fraîche. Faites-les revenir 1 minute environ, puis réservez.

7 Passez la soupe au mixer et versez-la dans une casserole. Ajoutez le lait et le mélange coriandre-céleri. Salez, poivrez, puis réchauffez le tout doucement. Goûtez et vérifiez l'assaisonnement, puis servez garni avec les feuilles de céleri réservées à cet effet.

LE CONSEIL DU CHEF

Pour un goût plus relevé, ajoutez quelques gouttes de jus de citron juste avant de servir.

Soupe de céleri au curry

Cette soupe qui mêle des parfums rarement associés est excellente servie avec des petits pains complets individuels chauds ou des pita à la farine complète.

Pour 4 à 6 personnes

10 ml • 2 cuil. à thé d'huile d'olive

1 oignon haché

1 poireau émincé

700 g • 1 1/2 lb de céleri haché

15 ml • 1 cuil. à table de curry en poudre
    moyen ou fort

225 g • 8 oz de pommes de terre non
    pelées, lavées et coupées en dés

900 ml • 3 3/4 tasses de bouillon de légumes

1 bouquet garni

30 ml • 2 cuil. à table d'herbes
    aromatiques fraîches hachées

sel

graines et feuilles de céleri pour garnir

1 Chauffez l'huile dans un grand faitout. Ajoutez l'oignon, le poireau et le céleri, couvrez et faites cuire le tout à feu doux 10 minutes, en remuant souvent.

2 Incorporez le curry en poudre et poursuivez la cuisson 2 minutes, en remuant de temps en temps.

3 Ajoutez les pommes de terre, le bouillon et le bouquet garni. Couvrez, puis laissez frémir 20 minutes, afin que les légumes soient tendres.

4 Retirez le bouquet garni et jetez-le, puis laissez refroidir la soupe.

5 Passez-la au mixer jusqu'à obtention d'une purée homogène.

6 Ajoutez les herbes aromatiques, salez à votre goût et mixez à nouveau brièvement. Reversez la soupe dans le faitout et réchauffez-la doucement jusqu'à ce qu'elle soit brûlante. Servez-la dans des bols ou des assiettes, saupoudrez-la de graines de céleri et garnissez-la enfin avec quelques feuilles de céleri.

VARIANTE

Vous obtiendrez une soupe exotique et très parfumée en remplaçant le céleri et les pommes de terre par du céleri-rave et des patates douces.

Potage Saint-Germain

Cette soupe aux petits pois frais tire son nom de la ville de Saint-Germain-en-Laye, où l'on cultivait autrefois ce légume. Si vous prenez des petits pois surgelés, décongelez-les et rincez-les bien avant de les cuisiner.

INGRÉDIENTS

Pour 2 à 3 personnes

25 g • 1 oz • 2 cuil. à table de beurre

2 ou 3 échalotes finement hachées

500 ml • 2 tasses d'eau

400 g • 3 tasses de petits pois frais écossés
   (soit environ 1,3 kg • 3 lb de petits pois
   frais avec les cosses) ou surgelés

45 à 60 ml • 3 à 4 cuil. à table de crème
   fraîche liquide (facultatif)

sel et poivre noir fraîchement moulu

croûtons pour garnir

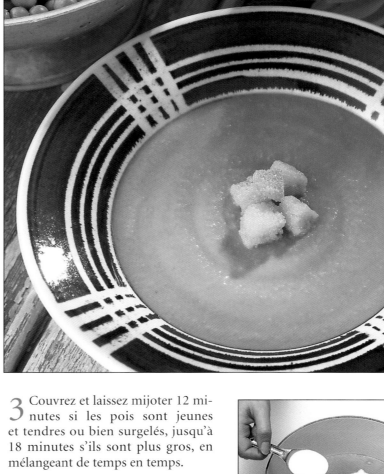

1 Faites fondre le beurre dans une cocotte à fond épais. Ajoutez les échalotes et faites-les revenir pendant 3 minutes environ, en remuant de temps en temps.

2 Ajoutez 500 ml • 2 tasses d'eau et les petits pois, salez et poivrez.

3 Couvrez et laissez mijoter 12 minutes si les pois sont jeunes et tendres ou bien surgelés, jusqu'à 18 minutes s'ils sont plus gros, en mélangeant de temps en temps.

4 Lorsque les petits pois sont bien tendres, transférez-les dans le bol d'un mixer, ajoutez un peu d'eau de cuisson et mixez jusqu'à obtention d'une soupe fine et homogène.

5 Versez ensuite cette soupe dans la cocotte, ajoutez la crème si vous le souhaitez, et chauffez le tout sans faire bouillir. Vérifiez l'assaisonnement et servez chaud, garni de croûtons.

Soupe aux petits pois, aux poireaux et aux brocolis

*Une soupe délicieuse
et nourrissante, parfaite
pour se réchauffer par
une froide soirée d'hiver.*

INGRÉDIENTS

Pour 4 à 6 personnes

1 oignon haché
225 g • 2 tasses de poireaux (quantité
 nécessaire une fois triés) émincés
225 g • 8 oz de pommes de terre non
 pelées et coupées en dés
900 ml • 3³/₄ tasses de bouillon de légumes
1 feuille de laurier
225 g • 8 oz de fleurettes de brocolis
175 g • 1¹/₂ tasses de petits pois surgelés
30 à 45 ml • 2 à 3 cuil. à table de persil frais haché
sel et poivre noir fraîchement moulu
feuilles de persil pour garnir

1 Mettez l'oignon, les poireaux, les
 pommes de terre, le bouillon et la
feuille de laurier dans une grande
casserole et mélangez. Couvrez, portez
à ébullition, puis laissez frémir 10 minutes en remuant constamment.

2 Incorporez les brocolis et les petits
 pois, couvrez, portez à nouveau à
ébullition, puis laissez frémir 10 minutes en remuant de temps en temps.

3 Laissez refroidir légèrement, puis
 retirez la feuille de laurier et
jetez-la. Passez le tout au mixer jusqu'à obtention d'une purée fine et
homogène.

4 Ajoutez le persil haché, salez et
 poivrez, puis mixez à nouveau
brièvement. Reversez la soupe dans
la casserole et réchauffez-la doucement jusqu'à ce qu'elle soit bien
chaude. Servez-la dans des bols ou
des assiettes et garnissez avec quelques feuilles de persil.

Gaspacho

Cette soupe froide est originaire d'Espagne, où il en existe de nombreuses variantes. On la prépare avec des tomates, du jus de tomates, des poivrons verts et de l'ail, et on la sert avec diverses garnitures.

INGRÉDIENTS

Pour 4 personnes

1,5 kg • 3-3¹/₂ lb de tomates bien mûres

1 poivron vert égrené
   et grossièrement haché

2 gousses d'ail pressées

2 tranches de pain de mie sans la croûte

60 ml • 4 cuil. à table d'huile d'olive

60 ml • 4 cuil. à table de vinaigre de vin
   à l'estragon

150 ml • ²/₃ tasse de jus de tomates

1 bonne pincée de sucre

sel et poivre noir fraîchement moulu

glaçons pour servir

Pour la garniture

30 ml • 2 cuil. à table d'huile de tournesol

2 à 3 tranches de pain de mie coupées en dés

1 petit concombre pelé et coupé en petits dés

1 petit oignon finement haché

1 poivron rouge égrené
   et coupé en petits dés

1 poivron vert égrené et coupé en petits dés

2 œufs durs coupés en petits morceaux

1 Pelez les tomates et coupez-les en quatre, puis retirez le cœur.

2 Mettez le poivron dans le bol d'un mixer et mixez quelques secondes. Ajoutez les tomates, l'ail, le pain de mie, l'huile d'olive et le vinaigre et mixez à nouveau. Incorporez ensuite le jus de tomate, le sucre, le sel et le poivre et mixez une dernière fois.

3 Le mélange doit être épais mais pas trop compact. Mixez jusqu'à obtenir la consistance recherchée. Passez ensuite la soupe au chinois et versez-la dans un saladier. Mettez-la au réfrigérateur pendant au moins 2 heures, mais ne l'y laissez pas plus de 12 heures, car la consistance risquerait de se détériorer.

4 Préparez les croûtons de la garniture : chauffez l'huile dans une poêle et faites-les revenir à feu moyen pendant 4 à 5 minutes, jusqu'à ce qu'ils soient bien dorés. Égouttez-les ensuite sur du papier essuie-tout.

5 Disposez chaque garniture sur un petit plat différent, ou bien répartissez-les en rangs sur un grand plat de service.

6 Juste avant de servir le gaspacho, ajoutez-lui quelques glaçons. Remuez, puis servez la soupe dans des bols ou des assiettes, accompagnée des croûtons et des légumes coupés en dés.

Soupe froide de poireaux et de pommes de terre

Servez cette soupe très parfumée avec une cuillerée de crème fraîche, elle n'en sera que plus riche et raffinée. Garnie d'un peu de ciboulette hachée, elle ravira vos convives par une fraîche soirée d'hiver.

INGRÉDIENTS

Pour 6 à 8 personnes

450 g • 1 lb de pommes de terre pelées
 et coupées en dés
1,5 l • 6¹/₄ tasses de bouillon de légumes
4 poireaux de taille moyenne,
 débarrassés de leur pointe vert foncé
150 ml • ²/₃ tasse de crème fraîche
sel et poivre noir fraîchement moulu
45 ml • 3 cuil. à table de ciboulette fraîche
 ciselée pour garnir

1 Mettez les pommes de terre et le bouillon dans un faitout ou une cocotte et portez à ébullition. Baissez le feu et laissez frémir 15 à 20 minutes.

2 Fendez chaque poireau en deux dans le sens de la longueur et rincez-les bien sous l'eau froide. Émincez-les ensuite finement.

3 Une fois que les pommes de terre sont presque cuites, ajoutez les poireaux. Salez et poivrez, puis laissez frémir 10 à 15 minutes, jusqu'à ce que les légumes soient bien tendres, en remuant de temps en temps. Si la soupe vous semble trop épaisse, allongez-la avec un peu d'eau ou de bouillon.

4 Passez la soupe au mixer, en plusieurs fois si besoin est. Si vous préférez une soupe très fine, passez-la au presse-purée ou au chinois à grosse maille. Ajoutez presque toute la crème, mélangez, puis laissez refroidir. Mettez ensuite la soupe au réfrigérateur. Servez-la dans des bols ou des assiettes réfrigérés et garnissez-la avec un peu de crème et de la ciboulette ciselée.

VARIANTE

~

Pour préparer une soupe plus légère, remplacez la crème par du fromage blanc allégé, ou bien allongez le potage avec un peu de lait écrémé.

Les Entrées

Guacamole

Cette purée d'avocats est assez relevée, mais bien moins que celle que l'on vous servirait au Mexique, son pays d'origine!

INGRÉDIENTS

Pour 4 personnes

2 avocats mûrs, pelés et dénoyautés

2 tomates pelées, égrenées et finement hachées

6 oignons nouveaux finement hachés

1 ou 2 piments frais, égrenés et finement hachés

30 ml • 2 cuil. à table de jus de citron jaune ou vert

15 ml • 1 cuil. à table de coriandre fraîche hachée

sel et poivre noir fraîchement moulu

brins de coriandre pour garnir

1 Mettez les moitiés d'avocats dans un grand saladier et écrasez-les grossièrement à la fourchette.

2 Ajoutez les autres ingrédients. Mélangez bien, salez et poivrez. Servez garni de coriandre fraîche.

Sauce aux haricots blancs, au cresson et aux herbes

Voici une sauce rafraîchissante, parfaite pour accompagner des crudités et des gressins.

INGRÉDIENTS

Pour 4 à 6 personnes

225 g • 8 oz • 1 tasse de fromage frais type fromage cottage

400 g • 14 oz de haricots blancs en boîte, rincés et égouttés

1 bouquet d'oignons nouveaux hachés

50 g • 2 oz de cresson haché

60 ml • 4 cuil. à table de mayonnaise

45 ml • 3 cuil. à table d'un mélange d'herbes fraîches hachées

sel et poivre noir fraîchement moulu

quelques feuilles de cresson pour garnir

crudités et gressins pour servir

1 Mixez ensemble le fromage frais, les haricots blancs, les oignons nouveaux, la mayonnaise et les herbes, jusqu'à obtention d'un mélange assez homogène.

3 Couvrez et mettez la sauce au réfrigérateur pendant plusieurs heures avant de la servir.

4 Transférez-la dans un plat de service (ou dans de petits bols individuels) et garnissez-la avec des feuilles de cresson. Servez cette sauce accompagnée de crudités et de gressins.

2 Salez, poivrez et versez la sauce dans un plat.

LE CONSEIL DU CHEF

Vous pouvez aussi remplacer les haricots blancs par d'autres légumes secs en boîte, des pois chiches par exemple.

Sauce au safran

Servez cette sauce de saveur subtile avec des crudités. Elle accompagne particulièrement bien le chou-fleur.

Pour 4 personnes

1 petite pincée de filaments de safran
200 g • 7 oz de fromage blanc
10 brins de ciboulette fraîche
10 feuilles de basilic frais
sel et poivre noir fraîchement moulu
crudités pour servir

1 Versez 15 ml • 1 cuil. à table d'eau bouillante dans un bol qui supporte la chaleur et ajoutez les filaments de safran. Laissez-les infuser 3 à 4 minutes en remuant de temps en temps.

2 Battez le fromage blanc jusqu'à ce qu'il soit bien onctueux, puis versez l'eau safranée.

3 Ajoutez la ciboulette ciselée, puis le basilic coupé en petits morceaux à la main, et mélangez le tout.

4 Salez, poivrez et servez immédiatement cette sauce accompagnée de crudités.

VARIANTE

Vous pouvez remplacer les filaments de safran par du safran en poudre. Par ailleurs, pour préparer une sauce au citron, il suffit de remplacer le safran par quelques gouttes de jus de citron vert ou jaune.

Sauce épicée aux carottes

Cette sauce délicieuse est à la fois sucrée et épicée. Servez-la avec des crackers de blé ou bien des chips de maïs pimentées.

Pour 4 personnes

1 oignon

4 carottes dont 1 petite pour la garniture

15 ml • 1 cuil. à table de pâte de curry forte

le zeste râpé et le jus de 2 oranges

150 ml • 2/3 tasse de yaourt nature

1 poignée de feuilles de basilic frais

15 à 30 ml • 1 à 2 cuil. à table de jus de citron frais, selon votre goût

sauce Tabasco, selon votre goût

sel et poivre noir fraîchement moulu

3 Ajoutez le yaourt et les feuilles de basilic découpées grossièrement à la sauce.

4 Mélangez enfin le jus de citron et le Tabasco, puis salez et poivrez. Servez cette sauce à température ambiante, garnie d'un peu de carottes râpées.

1 Hachez finement l'oignon. Pelez et râpez les carottes. Mettez les carottes, l'oignon, la pâte de curry, le zeste et le jus d'orange dans une petite casserole. Portez à ébullition, puis couvrez et laissez frémir doucement pendant 10 minutes, jusqu'à ce que les légumes soient tendres.

2 Passez le tout au mixer jusqu'à obtention d'un mélange homogène. Laissez refroidir complètement.

Caviar d'aubergines et galettes libanaises

*Cette délicieuse spécialité du
Moyen-Orient est parfumée
au tahini (pâte de graines de
sésame), ce qui lui donne
une note subtilement épicée.*

INGRÉDIENTS

Pour 6 personnes

2 petites aubergines
1 gousse d'ail écrasée
60 ml • 4 cuil. à table de tahini (pâte de sésame)
25 g • 1 oz • ¹/₄ tasse d'amandes en poudre
le jus d'1/2 citron
2.5 ml • ¹/₂ cuil. à thé de cumin en poudre
30 ml • 2 cuil. à table de feuilles de menthe fraîche
30 ml • 2 cuil. à table d'huile d'olive
sel et poivre noir fraîchement moulu

Pour les galettes libanaises

4 pita
45 ml • 3 cuil. à table de graines de sésame
grillées
45 ml • 3 cuil. à table de thym frais haché
45 ml • 3 cuil. à table de graines de pavot
150 ml • ²/₃ tasse d'huile d'olive

3 Faites griller les aubergines en les
retournant fréquemment, jusqu'à ce que la peau noircisse et boursoufle. Retirez ensuite la peau et hachez grossièrement la chair, puis laissez-la égoutter dans une passoire. Attendez 30 minutes, puis pressez les morceaux d'aubergines pour exprimer le plus de liquide possible.

4 Mettez les morceaux d'aubergines dans le bol d'un mixer avec l'ail, le tahini, les amandes en poudre, le jus de citron et le cumin. Salez, poivrez, puis mixez jusqu'à obtention d'une pâte homogène. Hachez la moitié des feuilles de menthe et mélangez.

5 Versez dans un plat, garnissez des feuilles de menthe restantes et arrosez d'un filet d'huile d'olive. Servez avec les galettes libanaises.

1 Commencez par préparer les galettes libanaises : coupez les pita en deux et ouvrez-les délicatement. Mélangez les graines de sésame, le thym et les graines de pavot dans un mortier, puis écrasez-les au pilon pour en libérer l'arôme.

2 Ajoutez l'huile d'olive et mélangez. Étalez cette préparation sur la face coupée des pita, puis passez-les sous le gril jusqu'à ce qu'ils soient bien dorés et croustillants. Laissez-les refroidir, puis coupez-les en morceaux et réservez.

Falafels aux pois chiches et sauce à la coriandre

On fait frire ces petites boulettes de purée de pois chiches jusqu'à ce qu'elles soient bien croustillantes, puis on les sert accompagnées d'une sauce parfumée à la coriandre fraîche.

INGRÉDIENTS

Pour 4 personnes

400 g • 14 oz de pois chiches en boîte égouttés
6 oignons nouveaux finement hachés
1 œuf
2.5 ml • 1/2 cuil. à thé de curcuma en poudre
1 gousse d'ail pressée
5 ml • 1 cuil. à thé de cumin en poudre
60 ml • 4 cuil. à table de coriandre fraîche hachée
huile pour la friture
1 petit piment rouge frais, égrené
   et finement haché
45 ml • 3 cuil. à table de mayonnaise
sel et poivre noir fraîchement moulu
1 brin de coriandre fraîche pour garnir

1 Mettez les pois chiches dans le bol d'un mixer. Ajoutez les oignons et mixez jusqu'à obtention d'une purée fine. Incorporez l'œuf, le curcuma, l'ail, le cumin et 15 ml • 1 cuil. à table de coriandre hachée. Mixez brièvement pour bien mélanger le tout, puis salez et poivrez.

2 Avec des mains humides, modelez la pâte de pois chiches de façon à obtenir à peu près 16 boulettes.

3 Chauffez l'huile à 180°C • 350°F, c'est-à-dire jusqu'à ce qu'un dé de pain plongé dans la friture dore en 30 à 45 secondes. Faites frire les falafels en plusieurs lots pendant 2 à 3 minutes, afin qu'ils soient bien dorés. Égouttez-les sur du papier essuie-tout, puis disposez-les dans un plat de service et maintenez-les au chaud.

4 Ajoutez le reste de coriandre hachée et le piment à la mayonnaise et remuez bien. Décorez la sauce avec le brin de coriandre et servez en accompagnement des falafels.

Hoummos et courgettes frites

Les courgettes frites accompagnent bien un hoummos maison servi avec de la pita et des olives. Ce délice nous vient de l'est du bassin méditerranéen.

INGRÉDIENTS

Pour 4 personnes

225 g • 8 oz de pois chiches en boîte
2 gousses d'ail grossièrement écrasées
90 ml • 6 cuil. à table de jus de citron
60 ml • 4 cuil. à table de tahini (pâte de sésame)
75 ml • 5 cuil. à table d'huile d'olive
5 ml • 1 cuil. à thé de cumin en poudre
450 g • 1 lb de petites courgettes
sel et poivre noir fraîchement moulu
paprika et olives noires pour garnir
pita pour servir

2 Mélangez l'ail, le jus de citron et le tahini, puis ajoutez le tout à la purée de pois chiches. Mixez à nouveau jusqu'à obtention d'une pâte bien homogène. Sans arrêter le mixer, versez petit à petit 45 ml • 3 cuil. à table d'huile d'olive.

5 Chauffez le reste d'huile dans une grande poêle. Salez et poivrez les courgettes, puis faites-les frire 2 à 3 minutes de chaque côté, afin qu'elles soient tendres mais ne s'écrasent pas.

1 Égouttez les pois chiches en conservant le jus, puis mettez-les dans le bol d'un mixer. Mixez jusqu'à obtention d'une purée bien fine et homogène, en ajoutant un peu de jus si besoin est.

3 Ajoutez le cumin, salez et poivrez. Mixez encore un peu. Transférez l'hoummos dans un saladier, couvrez-le et mettez-le au réfrigérateur jusqu'au moment de servir.

6 Répartissez les courgettes sur 4 assiettes. Ajoutez une portion d'hoummos et saupoudrez-la de paprika. Placez enfin 2 à 3 morceaux de pita et servez avec des olives noires.

4 Retirez l'extrémité des courgettes, puis coupez-les en deux dans le sens de la longueur. Recoupez-les si besoin est en morceaux de la même taille.

VARIANTE

Pour que la sauce ait un goût de noisette plus prononcé, remplacez le tahini par du beurre de cacahuètes (ou pâte d'arachide) crémeux. L'hoummos est également délicieux servi avec des tranches d'aubergines ou des morceaux de poivrons rouges frits ou grillés.

Légumes marinés à l'italienne

*Cet assortiment coloré de légumes
frais et d'aromates fait une
excellente entrée. Servez ces
« antipasti » avec du pain frais bien
croustillant.*

Pour 4 personnes

Pour les poivrons

3 poivrons rouges
3 poivrons jaunes
4 gousses d'ail émincées
1 poignée de basilic frais
120 ml • 4 oz • 1/2 tasse d'huile d'olive
sel et poivre noir fraîchement moulu

Pour les champignons

450 g • 1 lb de champignons frais aux
   chapeaux bien étalés, coupés en
   tranches épaisses
60 ml • 4 cuil. à table d'huile d'olive
1 grosse gousse d'ail pressée
15 ml • 1 cuil. à table de romarin frais haché
250 ml • 8 oz • 1 tasse de vin blanc sec
brins de romarin frais pour garnir

Pour les olives

1 piment rouge séché, écrasé
le zeste d'un citron
120 ml • 4 oz • 1/2 tasse d'huile d'olive
225 g • 8 oz • 1 1/3 tasse d'olives noires italiennes
30 ml • 2 cuil. à table de persil plat frais haché
feuilles de basilic pour garnir
1 quartier de citron pour servir

1 Disposez les poivrons sous un
gril préchauffé. Faites-les griller
jusqu'à ce que la peau soit noire et
toute boursouflée. Sortez-les du four
et mettez-les dans un grand sac en
plastique, puis laissez-les refroidir.

2 Une fois les poivrons refroidis,
pelez-les, coupez-les en deux et
retirez les graines. Détaillez-les
ensuite en bandelettes dans le sens de
la longueur et mettez-les dans un
saladier avec l'ail émincé et les
feuilles de basilic. Salez, poivrez, puis
recouvrez-les d'huile et laissez-les
mariner pendant 3 à 4 heures, en
remuant de temps en temps. Décorez
avec des feuilles de basilic frais.

3 Mettez les champignons dans un
grand saladier. Chauffez l'huile
dans une casserole et ajoutez-y l'ail,
le romarin et le vin. Portez à ébullition, puis laissez frémir pendant
3 minutes. Salez, poivrez et versez
sur les champignons.

4 Mélangez bien et laissez refroidir,
en remuant de temps en temps.
Couvrez et laissez mariner toute la
nuit. Servez à température ambiante,
garni de brins de romarin.

5 Préparez maintenant les olives :
mettez le piment et le zeste de
citron dans une petite casserole avec
l'huile. Chauffez doucement 3 minutes environ, puis ajoutez les olives et
poursuivez la cuisson encore 1 minute. Versez cette préparation dans
un saladier et laissez refroidir. Laissez
mariner les olives toute la nuit. Avant
de servir, parsemez-les de persil
haché et garnissez-les avec les feuilles
de basilic. Servez accompagné du
quartier de citron.

Pommes de terre épicées et sauce au piment

Ces pommes de terre sont couvertes d'une croûte épicée qui les rend irrésistibles, surtout lorsqu'elles sont servies avec une sauce pimentée.

INGRÉDIENTS

Pour 2 personnes

2 grosses pommes de terre
   de 225 g • 8 oz chacune environ
30 ml • 2 cuil. à table d'huile d'olive
2 gousses d'ail pressées
5 ml • 1 cuil. à thé de quatre-épices
5 ml • 1 cuil. à thé de coriandre en poudre
5 ml • 1 cuil. à table de paprika
sel et poivre noir fraîchement moulu

Pour la sauce

15 ml • 1 cuil. à table d'huile d'olive
1 petit oignon finement haché
1 gousse d'ail pressée
200 g • 7 oz de tomates concassées en boîte
1 piment rouge frais égrené
   et finement haché
15 ml • 1 cuil. à table de vinaigre balsamique
15 ml • 1 cuil. à table de coriandre fraîche
   hachée plus de quoi garnir

1 Préchauffez le four à 200°C • 400°F. Lavez les pommes de terre, coupez-les en deux, puis recoupez chaque moitié en quatre.

2 Mettez les morceaux de pommes de terre dans une casserole d'eau froide. Portez à ébullition, puis baissez le feu et laissez frémir doucement pendant 10 minutes, jusqu'à ce que les pommes de terre soient légèrement plus tendres. Égouttez-les bien et séchez-les sur de l'essuie-tout.

3 Mélangez l'huile, l'ail, le quatre-épices, la coriandre et le paprika dans un plat à four. Salez et poivrez. Ajoutez les pommes de terre et roulez-les dans le mélange d'épices. Faites-les rôtir 20 minutes, en les retournant de temps en temps.

4 Pendant ce temps, préparez la sauce au piment. Chauffez l'huile dans une casserole, ajoutez l'oignon et l'ail et faites-les revenir pendant 5 à 10 minutes, jusqu'à ce qu'ils soient tendres et bien dorés. Versez les tomates avec leur jus, puis le piment et le vinaigre. Remuez bien.

5 Faites réduire la sauce à feu doux pendant 10 minutes, jusqu'à épaississement. Salez, poivrez. Ajoutez la coriandre fraîche et servez très chaud, avec les pommes de terre rôties. Rectifiez l'assaisonnement et garnissez de coriandre fraîche.

Pâtés impériaux à la sauce aigre-douce pimentée

Ces mini-pâtés impériaux font d'excellents amuse-gueule. Ils sont aussi parfaits pour garnir un buffet.

INGRÉDIENTS

Pour 20 à 24 pâtés impériaux

25 g • 1 oz de vermicelles de riz

huile d'arachide

5 ml • 1 cuil. à thé de gingembre frais
    finement râpé

2 oignons nouveaux finement émincés

50 g • 2 oz de carottes finement émincées

50 g • 2 oz de pois gourmands émincés

25 g • 1 oz de feuilles d'épinards

50 g • 2 oz de germes de soja frais

15 ml • 1 cuil. à table de menthe fraîche,
    finement hachée

15 ml • 1 cuil. à table de coriandre fraîche
    finement hachée

30 ml • 2 cuil. à table de sauce de soja claire

20 à 24 galettes de riz carrées
    de 13 cm • 5 pouces de côté

1 blanc d'œuf légèrement battu

Pour la sauce

60 ml • 4 cuil. à table de sucre

50 ml • 2 oz • ¼ tasse de vinaigre de riz

2 piments rouges frais égrenés
    et finement hachés

1 Commencez par préparer la sauce : mettez le sucre et le vinaigre dans une petite casserole avec 30 ml • 2 cuil. à table d'eau. Chauffez doucement en remuant jusqu'à ce que le sucre fonde, puis portez à ébullition et poursuivez la cuisson à gros bouillons jusqu'à obtention d'un sirop léger. Ajoutez les piments et laissez refroidir.

2 Faites tremper les vermicelles selon les instructions de l'emballage. Rincez-les et égouttez-les bien. Coupez les vermicelles en petits morceaux.

3 Chauffez un wok avec 15 ml • 1 cuil. à table d'huile. Mettez le gingembre et les oignons nouveaux à sauter quelques secondes. Ajoutez les carottes et les pois gourmands et faites-les revenir 2 à 3 minutes. Incorporez les feuilles d'épinards, les germes de soja, la menthe, la coriandre, la sauce de soja et les vermicelles et faites sauter encore 1 minute. Laissez refroidir.

4 Déposez 1 cuillerée de farce au centre d'une galette de riz, puis fermez en repliant des deux côtés. Enroulez la pâte en serrant bien.

5 Badigeonnez l'extrémité de blanc d'œuf battu. Renouvelez l'opération avec les autres carrés de pâte jusqu'à épuisement de la farce.

6 Remplissez à moitié le wok d'huile et chauffez-la à 180°C • 350°F. Faites cuire ensuite les mini-pâtés en procédant par lots : faites-les frire pendant 3 à 4 minutes, jusqu'à ce qu'ils soient bien dorés et croustillants. Égouttez-les sur de l'essuie-tout. Servez chaud, accompagné de sauce aigre-douce pimentée.

LE CONSEIL DU CHEF

Vous pouvez faire cuire les pâtés impériaux 2 à 3 heures à l'avance. Il ne vous reste plus alors qu'à les disposer sur une plaque à pâtisserie tapissée d'une feuille d'aluminium et à les faire réchauffer pendant une dizaine de minutes dans un four préchauffé à 200°C • 400°F juste avant de les servir.

Pâte au bleu et aux herbes sur toasts « Melba »

Cette entrée est vite prête, d'autant que l'on peut préparer la pâte à tartiner la veille et que les toasts « Melba » se conservent un jour ou deux dans un récipient hermétique.

INGRÉDIENTS

Pour 8 personnes

225 g • 1 tasse de stilton (fromage anglais) ou autre fromage à pâte persillée

120 g • 4 oz • 1/2 tasse de « cream cheese » ou de fromage frais à tartiner

15 ml • 1 cuil. à table de porto

15 ml • 1 cuil. à table de persil frais haché

15 ml • 1 cuil. à table de ciboulette fraîche ciselée, plus de quoi garnir

50 g • 2 oz • 1/2 tasse de noix hachées

sel et poivre noir fraîchement moulu

Pour les toasts « Melba »

12 tranches de pain de mie

1 Mettez le bleu, le fromage à la crème et le porto dans le bol d'un mixer et mixez jusqu'à obtention d'une pâte homogène.

2 Ajoutez les ingrédients restants, mixez de nouveau, puis salez et poivrez.

3 Répartissez cette pâte à tartiner dans de petits ramequins individuels et lissez le dessus. Couvrez de film alimentaire et mettez au réfrigérateur jusqu'à ce que cette préparation soit bien ferme. Parsemez de ciboulette juste avant de servir.

4 Préparez les toasts : préchauffez le four à 180°C • 350°F, puis faites griller le pain des deux côtés.

5 Pendant que les toasts sont encore chauds, enlevez la croûte et recoupez-les en deux dans l'épaisseur. Disposez les tranches en une seule couche sur des plaques à pâtisserie et enfournez-les 10 à 15 minutes, jusqu'à ce qu'elles soient bien dorées et croustillantes. C'est ce que l'on appelle des toasts « Melba ». Procédez ainsi avec les toasts restants. Servez chaud avec la pâte à tartiner au bleu.

Terrine de champignons et de haricots rouges

*Cette terrine légère est délicieuse
servie avec du pain complet,
qu'il soit grillé ou non.*

INGRÉDIENTS

Pour 12 personnes

450 g • 1 lb de champignons émincés
1 oignon haché
2 gousses d'ail pressées
1 poivron rouge égrené et coupé en dés
30 ml • 2 cuil. à table de bouillon de légumes
30 ml • 2 cuil. à table de vin blanc sec
400 g • 14 oz de haricots rouges en boîte,
   rincés et égouttés
1 œuf battu
50 g • 1 tasse de miettes de pain complet frais
15 ml • 1 cuil. à table de thym frais haché
15 ml • 1 cuil. à table de romarin frais haché
sel et poivre noir fraîchement moulu
tomates cerises et salade verte pour garnir

1 Préchauffez le four à 180°C •
350°F. Beurrez légèrement et
tapissez un moule à gâteau anti-
adhésif de 900 g • 2 lb de contenance.
Mettez les champignons, l'oignon,
l'ail, le poivron rouge, le bouillon et
le vin dans une casserole. Couvrez et
faites cuire pendant une dizaine de
minutes, en remuant de temps en
temps.

2 Laissez refroidir légèrement, puis
réduisez le tout en purée avec les
haricots rouges à l'aide d'un mixer.

3 Transvasez la préparation dans
un saladier, puis ajoutez l'œuf,
les miettes de pain et les herbes
aromatiques, et mélangez bien. Salez
et poivrez.

4 Versez la préparation dans le
moule à cake et lissez le dessus.
Faites cuire 45 à 60 minutes, jusqu'à
ce que la terrine soit dorée sur le dessus.
Posez le moule sur une grille à pâtisserie et laissez refroidir complètement,
puis couvrez-le et mettez-le au réfrigérateur plusieurs heures. Au moment
de servir, démoulez la terrine et
coupez-la en tranches. Garnissez des
tomates cerises et de la salade verte.

Champignons à l'ail avec une croûte persillée

Les champignons farcis font une entrée parfaite, mais vous pouvez aussi les servir en plat unique, accompagnés d'une salade verte, pour un dîner léger.

INGRÉDIENTS

Pour 4 personnes

350 g • 12 oz de gros champignons de
    Paris débarrassés de leurs pieds
3 gousses d'ail pressées
175 g • 6 oz • ³/₄ tasse de beurre ramolli
50 g • 1 tasse de miettes de pain blanc frais
50 g • 2 oz • 1 tasse de persil frais haché
1 œuf battu
sel et piment de Cayenne
8 tomates cerises pour garnir

1 Préchauffez le four à 190°C • 375°F. Disposez les champignons sur une plaque à pâtisserie, côté bombé vers le bas. Mélangez l'ail et le beurre dans un bol et garnissez l'intérieur des chapeaux des champignons avec 120 g • 4 oz • ¹/₂ tasse de cette préparation.

2 Chauffez le reste de beurre aillé dans une poêle et faites revenir légèrement les miettes de pain jusqu'à ce qu'elles soient bien dorées. Mettez le persil haché dans un saladier, incorporez les miettes de pain, assaisonnez avec du sel et du piment de Cayenne et mélangez bien.

3 Ajoutez l'œuf, mélangez le tout et répartissez cette préparation sur les chapeaux de champignons. Enfournez 10 à 15 minutes, jusqu'à ce qu'une croûte dorée se forme et que les champignons aient ramolli. Garnissez avec des tomates coupées en quatre.

LE CONSEIL DU CHEF

Vous pouvez préparer ces champignons farcis jusqu'à 12 heures à l'avance et les conserver au réfrigérateur avant de les passer au four.

Feuilletés aux asperges et beurre aux herbes

Ces tendres pointes d'asperges enveloppées dans une fine pâte croustillante, servies avec un beurre aux herbes, feront une entrée raffinée.

INGRÉDIENTS

Pour 2 personnes

4 feuilles de brik ou de pâte filo
50 g • 2 oz • 1/4 tasse de beurre fondu
16 jeunes pointes d'asperges

Pour le beurre aux herbes

2 échalotes finement hachées
1 feuille de laurier
150 ml • 2/3 tasse de vin blanc sec
175 g • 6 oz de beurre ramolli
15 ml • 1 cuil. à table d'herbes fraîches hachées
sel et poivre noir fraîchement moulu
ciboulette hachée pour garnir

1 Préchauffez le four à 200°C • 400°F. Coupez les feuilles de pâte en deux, et badigeonnez-les de beurre fondu. Repliez un coin vers le bord inférieur de façon à obtenir un triangle.

2 Posez 4 pointes d'asperges les unes à côté des autres sur le bord le plus long, et enroulez la pâte vers le bord le plus court. Confectionnez 3 autres rouleaux similaires avec les asperges et la pâte restantes.

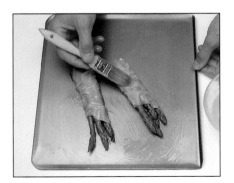

3 Posez les feuilletés aux asperges sur une plaque à pâtisserie beurrée. Badigeonnez-les avec le reste de beurre fondu, puis faites-les cuire au four pendant 8 minutes, jusqu'à ce que la pâte soit bien dorée.

4 Pendant ce temps, mettez les échalotes, la feuille de laurier et le vin dans une casserole. Couvrez et faites cuire à feu vif jusqu'à ce que le vin réduise d'un tiers.

5 Versez la préparation à base de vin dans un bol. Incorporez le beurre petit à petit, en fouettant constamment, jusqu'à ce que la sauce soit homogène et brillante.

6 Ajoutez les herbes, salez et poivrez. Remettez la sauce dans la casserole et maintenez-la au chaud. Disposez les feuilletés sur des assiettes et garnissez avec de la salade verte si vous le souhaitez. Servez le beurre aux herbes à part, parsemé de ciboulette hachée.

Mozzarella panée

*Ces tranches de fromage dorées
et croustillantes font une entrée
originale qu'il faut faire frire
au dernier moment.*

Pour 2 à 3 personnes

300 g • 11 oz • 1³/₄ tasses de mozzarella

huile de friture

2 œufs

farine assaisonnée de sel et de poivre noir
    fraîchement moulu

miettes de pain rassis

persil plat pour garnir

1 Coupez la mozzarella en tranches d'1 cm • ¹/₂ pouce d'épaisseur environ. Éliminez toute trace
d'humidité en les tapotant délicatement avec de l'essuie-tout.

2 Chauffez l'huile à 185°C • 360°F,
c'est-à-dire jusqu'à ce qu'un petit
morceau de pain grésille dès qu'on
l'y plonge. Pendant que l'huile
chauffe, battez les œufs dans une
assiette creuse. Étalez un peu de
farine assaisonnée de sel et de poivre
sur une autre assiette et les miettes
de pain sur une troisième.

3 Enrobez les tranches de fromage
d'une fine couche de farine, puis
éliminez le surplus. Plongez ensuite
les tranches de mozzarella farinées
dans les œufs et enrobez-les enfin de
miettes de pain.

4 Faites-les frire dans l'huile chaude
jusqu'à ce qu'elles soient bien
dorées. Peut-être devrez-vous procéder par lots, mais ne laissez pas la
mozzarella panée attendre trop longtemps, car la panure risquerait alors
de se séparer du fromage pendant la
cuisson. Égouttez les tranches de
mozzarella frites sur de l'essuie-tout
et servez très chaud, garni de persil.

Croquettes de pommes de terre à la feta

*Ces délicieuses croquettes grecques
à la feta sont relevées avec de l'aneth
et du jus de citron.*

INGRÉDIENTS

Pour 4 personnes

500 g • 1¼ lb de pommes de terre

120 g • 4 oz de feta

4 oignons nouveaux hachés

45 ml • 3 cuil. à table d'aneth frais haché

15 ml • 1 cuil. à table de jus de citron

1 œuf battu

farine

45 ml • 3 cuil. à table d'huile d'olive

sel et poivre noir fraîchement moulu

1 Faites cuire les pommes de terre en robe des champs dans de l'eau légèrement salée jusqu'à ce qu'elles soient tendres. Égouttez-les, puis épluchez-les pendant qu'elles sont chaudes. Mettez-les dans un saladier et écrasez-les. Émiettez la feta dans les pommes de terre, puis ajoutez les oignons nouveaux, l'aneth, le jus de citron et l'œuf battu. Rectifiez l'assaisonnement et mélangez bien.

2 Couvrez la préparation et mettez-la au réfrigérateur jusqu'à ce qu'elle soit ferme. Confectionnez ensuite des boulettes de purée de la taille d'une noix, puis aplatissez-les légèrement. Farinez-les. Chauffez l'huile dans une poêle et faites-les revenir jusqu'à ce qu'elles soient bien dorées des deux côtés. Égouttez-les sur de l'essuie-tout et servez immédiatement.

Poires farcies au fromage

Accompagnées d'une simple salade, ces poires font, avec leur farce crémeuse, une entrée originale.

INGRÉDIENTS

Pour 4 personnes

50 g • 2 oz • ¹/₄ tasse de ricotta

50 g • 2 oz • ¹/₄ tasse de dolcelatte

15 ml • 1 cuil. à table de miel

1/2 branche de céleri finement émincée

8 olives vertes dénoyautées
   et grossièrement hachées

4 dattes dénoyautées
   et coupées en fines lamelles

1 pincée de paprika

4 poires mûres

150 ml • ²/₃ tasse de jus de pommes

1 Préchauffez le four à 200°C • 400°F. Mettez la ricotta dans un saladier, ajoutez le dolcelatte et écrasez le tout à la fourchette. Versez les autres ingrédients hormis les poires et le jus de pommes et mélangez bien.

2 Coupez les poires en deux dans le sens de la longueur et retirez le cœur. Posez-les dans un plat à four et répartissez la farce dans le cœur des 8 moitiés de poires.

3 Versez le jus de pommes dans le plat et couvrez de papier d'aluminium. Faites cuire 20 minutes, jusqu'à ce que les poires soient tendres.

4 Retirez le papier d'aluminium et glissez le plat sous un gril très chaud pendant 3 minutes. Servez immédiatement.

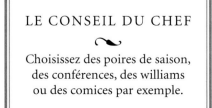

LE CONSEIL DU CHEF

Choisissez des poires de saison, des conférences, des williams ou des comices par exemple.

Canapés aux champignons

Le goût prononcé des champignons est rehaussé par la sauce tomate aux champignons.

INGRÉDIENTS

Pour 2 à 4 personnes

1 morceau de baguette de
   25 cm • 10 pouces de long
10 ml • 2 cuil. à thé d'huile d'olive
250 g • 9 oz de champignons aux
   chapeaux bien larges, coupés en quatre
10 ml • 2 cuil. à thé de sauce tomate (ou
   ketchup) aux champignons
10 ml • 2 cuil. à thé de jus de citron
30 ml • 2 cuil. à table de lait écrémé
30 ml • 2 cuil. à table de ciboulette fraîche ciselée
sel et poivre noir fraîchement moulu
ciboulette fraîche ciselée pour garnir

3 Faites revenir les champignons dans une petite casserole avec la sauce tomate ou le ketchup, le jus de citron et le lait, pendant 5 minutes environ, jusqu'à ce que la plus grande partie du liquide se soit évaporée.

4 Retirez du feu, puis ajoutez la ciboulette. Salez, poivrez, puis répartissez les champignons sur les canapés et servez chaud, garni de ciboulette ciselée.

1 Préchauffez le four à 200°C • 400°F. Coupez la baguette en deux dans le sens de la longueur et retirez la mie centrale.

2 Badigeonnez le pain d'huile, puis placez-le sur une plaque à pâtisserie et enfournez-le 6 à 8 minutes, jusqu'à ce qu'il soit doré et croustillant.

Canapés aux tomates et au basilic

Le parfum du basilic est si puissant qu'une toute petite quantité suffit souvent pour ensoleiller un plat.

Pour 2 personnes

2 tranches de pain croustillant
    assez épaisses
45 ml • 3 cuil. à table de fromage frais à tartiner
10 ml • 2 cuil. à thé de pesto (sauce
    italienne au basilic) rouge ou vert
1 grosse tomate
1 oignon rouge
sel et poivre noir fraîchement moulu
basilic haché pour garnir

3 Avec un couteau tranchant, coupez la tomate et l'oignon en rondelles fines.

4 Faites chevaucher les rondelles d'oignon et de tomate en alternance sur les tartines, puis salez et poivrez. Réchauffez les canapés sous un gril bien chaud. Servez garni de basilic haché.

1 Faites griller les tranches de pain jusqu'à ce qu'elles soient bien dorées des deux côtés. Laissez refroidir.

2 Mélangez bien le fromage frais et le pesto dans un bol, puis étalez-en une couche épaisse sur le pain grillé.

LE CONSEIL DU CHEF

Si vous pouvez utiliser quasiment n'importe quel pain pour préparer ces canapés, c'est néanmoins avec un bon pain de campagne bien levé et une huile d'olive italienne de qualité que vous obtiendrez les meilleurs résultats.

Asperges aux œufs

Un œuf au plat et un peu de parmesan râpé transforment ces asperges en une entrée de fête.

Pour 4 personnes

450 g • 1 lb d'asperges fraîches

70 g • 2¹/₂ oz • 5 cuil. à table de beurre

4 œufs

60 ml • 4 cuil. à table de parmesan frais râpé

sel et poivre noir fraîchement moulu

1 Éliminez l'extrémité ligneuse des asperges en glissant la lame d'un couteau sous la peau épaisse à la base de la tige et en remontant vers la pointe. Lavez ensuite les asperges à l'eau froide.

2 Portez une grande casserole d'eau à ébullition, et faites-y blanchir les asperges jusqu'à ce qu'elles soient tendres.

3 Pendant que les asperges cuisent, faites fondre 1/3 du beurre dans une poêle. Lorsqu'il frissonne, cassez les œufs et faites-les cuire jusqu'à ce que le blanc ait pris mais en veillant à ce que le jaune ne se solidifie pas.

4 Dès que les asperges sont cuites, sortez-les de l'eau avec une écumoire. Posez-les sur une grille métallique recouverte d'un torchon et laissez-les égoutter. Répartissez ensuite les asperges sur 4 assiettes. Posez un œuf au plat sur chaque bouquet d'asperges et saupoudrez de parmesan râpé.

5 Faites fondre le reste de beurre dans la même poêle. Dès qu'il commence à mousser, mais avant qu'il ne brunisse, versez-le sur le fromage et les œufs disposés sur les asperges. Salez, poivrez et servez immédiatement.

Œufs au curry

*Ces œufs durs sont servis sur
une sauce crémeuse et délicate
relevée d'une pointe de curry.*

INGRÉDIENTS

Pour 2 personnes

4 œufs
15 ml • 1 cuil. à table d'huile de tournesol
1 petit oignon finement haché
1 morceau de gingembre frais
   de 2,5 cm • 1 pouce de long, pelé et râpé
2,5 ml • 1/2 cuil. à thé de cumin en poudre
2,5 ml • 1/2 cuil. à thé de garam masala
7,5 ml • 1 1/2 cuil. à thé de concentré de tomates
10 ml • 2 cuil. à thé de pâte tandoori
10 ml/2 cuil. à thé de jus de citron
250 ml • 1/4 tasse de crème fraîche liquide
15 ml • 1 cuil. à table de coriandre fraîche hachée
sel et poivre noir fraîchement moulu
quelques brins de coriandre fraîche
   pour garnir

1 Mettez les œufs dans une casserole d'eau. Portez à ébullition,
puis baissez le feu et laissez-les cuire
10 minutes.

2 Pendant ce temps, dans une poêle
huilée chaude, faites revenir l'oignon 2 à 3 minutes. Ajoutez le gingembre et cuisez encore 1 minute.

3 Incorporez le cumin en poudre,
le garam masala, le concentré de
tomates, la pâte tandoori, le jus de
citron et la crème. Faites revenir le
tout 1 à 2 minutes, puis ajoutez la
coriandre. Salez et poivrez.

4 Écalez les œufs et coupez-les
en deux. Versez la sauce dans un
plat creux, disposez dessus les moitiés d'œufs durs et garnissez avec
les brins de coriandre fraîche. Servez
immédiatement.

Tartelettes au roquefort

Si vous confectionnez ces tartelettes dans des moules à tartes individuels ou dans un moule à muffins, elles feront une entrée chaude. Vous pouvez aussi les cuire dans des caissettes à cocktail, et les servir tièdes à l'apéritif.

INGRÉDIENTS

Pour 12 tartelettes

175 g • 6 oz • 1¹/₂ tasses de farine
1 bonne pincée de sel
115 g • 4 oz • 8 cuil. à table de beurre
1 jaune d'œuf
30 ml • 2 cuil. à table d'eau froide

Pour la garniture

15 g • ¹/₂ oz • 1 cuil. à table de beurre
15 g • ¹/₂ oz • 2 cuil. à table de farine
150 ml • ²/₃ tasse de lait
120 g • 4 oz de roquefort écrasé
150 ml • ²/₃ tasse de crème fraîche épaisse
2.5 ml • ¹/₂ cuil. à thé d'herbes de Provence séchées
3 jaunes d'œufs
sel et poivre noir fraîchement moulu

1 Préparez la pâte : tamisez la farine et le sel dans une terrine, puis incorporez le beurre jusqu'à ce que le mélange ait la consistance de miettes de pain. Mélangez le jaune d'œuf avec l'eau et ajoutez à la préparation précédente afin d'obtenir une pâte bien souple. Pétrissez-la jusqu'à ce qu'elle soit bien homogène, puis enveloppez-la dans du film plastique et mettez-la au réfrigérateur pendant 30 minutes. Vous pouvez aussi faire la pâte à l'aide d'un mixer.

2 Faites fondre le beurre dans une casserole, puis ajoutez la farine et le lait. Portez le tout à ébullition en remuant constamment pour que la préparation épaississe. Retirez du feu, puis incorporez le fromage, salez et poivrez. Laissez refroidir. Dans une autre casserole, faites frémir la crème fraîche aromatisée avec les herbes, puis faites-la réduire jusqu'à ce qu'il n'en reste plus que 30ml • 2 cuil. à table. Ajoutez à la sauce au roquefort et battez le tout avec les jaunes d'œufs.

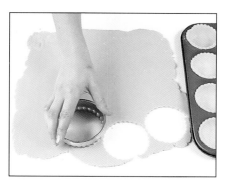

3 Préchauffez le four à 190°C • 375°F. Étalez la pâte au rouleau sur un plan de travail légèrement fariné jusqu'à obtention d'une épaisseur de 3 mm • ¹/₈ pouce environ. Découpez des disques de pâte à l'aide d'un emporte-pièce cannelé et garnissez-en les moules à tartelettes.

4 Répartissez la garniture sur ces fonds de tartes, en les remplissant au moins aux 2/3. Découpez des figures de pâte plus petites avec un emporte-pièce cannelé ou étoilé et posez-les sur la garniture. Enfournez 20 à 25 minutes, jusqu'à ce que les tartelettes soient bien dorées.

Les Salades

Salade au parmesan et aux œufs pochés

L'association des œufs pochés, des croûtons aillés et de la salade procure un plaisir inoubliable.

Pour 2 personnes

quelques tranches de pain de mie

75 ml • 5 cuil. à table d'huile d'olive

2 œufs

125 g • 4 oz de mesclun

2 gousses d'ail pressées

7 ml • ¹/₂ cuil. à table de vinaigre de vin blanc

25 g • 1 oz de parmesan

poivre noir fraîchement moulu
    (facultatif)

2 Chauffez 30 ml • 2 cuil. à table d'huile d'olive dans une poêle et faites frire le pain 5 minutes environ, en retournant les croûtons de temps en temps, afin qu'ils soient bien dorés.

5 Chauffez le reste d'huile dans la poêle, ajoutez l'ail et le vinaigre, puis faites-les chauffer à feu vif pendant 1 minute. Versez la vinaigrette chaude sur les assiettes de salade.

1 Retirez la croûte du pain de mie, puis coupez les tranches en carrés de 2,5 cm • 1 pouce de côté.

3 Portez une casserole d'eau à ébullition. Glissez-y délicatement les œufs cassés, l'un après l'autre. Pochez-les à feu doux pendant 4 minutes, afin qu'ils soient légèrement cuits.

6 Faites glisser un œuf poché sur chaque assiette, puis garnissez avec des copeaux de parmesan et assaisonnez éventuellement avec du poivre noir.

4 Répartissez les feuilles de salade sur 2 assiettes. Retirez les croûtons de la poêle et disposez-les sur la salade. Essuyez la poêle avec de l'essuie-tout.

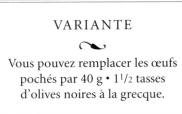

VARIANTE

❧

Vous pouvez remplacer les œufs pochés par 40 g • 1¹/₂ tasses d'olives noires à la grecque.

LE CONSEIL DU CHEF

❧

Ajoutez quelques gouttes de vinaigre à l'eau avant d'y faire pocher les œufs : le blanc coagulera plus facilement. Pour que l'œuf poché ait une jolie forme, remuez l'eau avec une cuillère dans un mouvement de tourbillon avant d'y glisser les œufs.

Salade aux poires, aux noix de pécan et au bleu

Les noix de pécan grillées s'harmonisent particulièrement bien avec les poires fermes et peu juteuses. De plus, leur parfum corsé se marie bien avec une sauce de salade crémeuse parfumée au bleu.

INGRÉDIENTS

Pour 4 personnes

75 g • 3 oz • 1/2 tasse de noix de pécan décortiquées, grossièrement hachées

3 poires bien fermes

200 g • 6 oz de feuilles d'épinards équeutées

1 scarole ou 1 laitue

1 trévise

30 ml • 2 cuil. à table de sauce à salade toute prête au bleu

sel et poivre noir fraîchement moulu

pain croustillant pour servir

1 Mettez à griller les noix de pécan sous un gril modéré, pour faire ressortir leur parfum.

2 Coupez les poires en tranches régulières, sans les peler, mais en ôtant le cœur et les pépins.

3 Lavez les épinards et la salade et essorez-les. Ajoutez les morceaux de poires et les noix grillées, puis la sauce et mélangez le tout. Répartissez la salade sur 4 grandes assiettes, salez et poivrez. Servez accompagné de pain croustillant encore tiède.

VARIANTE

Si vous préférez une sauce plus légère, sans fromage, mélangez 5 ml • 1 cuil. à thé de moutarde à l'ancienne, 2.5 ml • 1/2 cuil. à thé de sucre cristallisé, 1 pincée d'estragon séché, 10 ml • 2 cuil. à thé de jus de citron et 60 ml • 4 cuil. à table d'huile d'olive dans un bocal, refermez-le puis secouez vigoureusement.

Salade printanière

Cette salade croquante constitue un plat unique. Vous pouvez utiliser d'autres légumes nouveaux si vous le souhaitez.

INGRÉDIENTS

Pour 4 personnes

700 g • 1¹/₂ lb de petites pommes de terre nouvelles coupées en deux

400 g • 14 oz de fèves en boîte égouttées

125 g • 4 oz de tomates cerises

75 g • 3 oz • ¹/₂ tasse de cerneaux de noix

30 ml • 2 cuil. à table de vinaigre de vin blanc

15 ml • 1 cuil. à table de moutarde à l'ancienne

60 ml • 4 cuil. à table d'huile d'olive

1 pincée de sucre

225 g • 8 oz de pointes d'asperges

6 oignons nouveaux triés

sel et poivre noir fraîchement moulu

petites feuilles d'épinards pour servir

1 Mettez les pommes de terre dans une casserole, couvrez-les d'eau froide et portez à ébullition. Faites-les cuire 10 à 12 minutes, jusqu'à ce qu'elles soient tendres. Pendant ce temps, disposez les fèves dans un saladier. Coupez les tomates en deux et ajoutez-les aux fèves avec les noix.

2 Versez le vinaigre de vin blanc, la moutarde, l'huile d'olive et le sucre dans un bocal. Salez et poivrez, puis refermez hermétiquement le bocal et secouez-le bien.

3 Ajoutez les asperges aux pommes de terre et poursuivez la cuisson 3 minutes. Égouttez les légumes cuits, passez-les sous l'eau froide et égouttez-les de nouveau. Coupez les pommes de terre en rondelles assez épaisses et les oignons nouveaux en deux dans le sens de la longueur.

4 Mettez les asperges, les pommes de terre et les oignons nouveaux dans le saladier contenant les fèves et les noix. Versez la vinaigrette sur la salade et mélangez bien. Servez sur un lit de petites feuilles d'épinards.

Salade de couscous

*Cette salade est une variante épicée
du taboulé libanais au citron,
traditionnellement préparé avec
du boulgour et non de la semoule.*

Pour 4 personnes

45 ml • 3 cuil. à table d'huile d'olive

5 oignons nouveaux hachés

1 gousse d'ail pressée

5 ml • 1 cuil. à thé de cumin en poudre

400 ml • 1 1/2 tasses de bouillon de légumes

175 g • 6 oz • 1 tasse de graine de couscous

2 tomates pelées et coupées en morceaux

60 ml • 4 cuil. à table de persil frais haché

60 ml • 4 cuil. à table de menthe fraîche
    hachée

1 piment vert frais égrené
    et finement haché

30 ml • 2 cuil. à table de jus de citron

sel et poivre noir fraîchement moulu

pignons grillés et zeste de citron râpé
    pour garnir

feuilles de salade verte bien craquantes
    pour servir

1 Chauffez l'huile dans une casserole. Ajoutez les oignons nouveaux et l'ail, puis le cumin et faites
revenir le tout 1 minute. Versez le
bouillon et portez à ébullition.

2 Retirez la casserole du feu, ajoutez le couscous, couvrez et laissez
gonfler la graine pendant 10 minutes, jusqu'à ce que tout le liquide ait
été absorbé. Si vous utilisez de la
semoule précuite, suivez les instructions portées sur l'emballage.

3 Versez le couscous dans un saladier. Ajoutez les tomates, le persil, la menthe, le piment et le jus de
citron. Salez et poivrez. Laissez si possible reposer la salade 1 heure, pour
que tous les parfums aient le temps
de se développer complètement.

4 Pour servir, tapissez un plat
creux de feuilles de salade et disposez le couscous dessus. Garnissez
enfin avec les pignons grillés et le
zeste de citron râpé.

Salade de grosses fèves brunes

On trouve parfois dans les magasins diététiques ces grosses fèves brunes qui sont largement utilisées dans la cuisine égyptienne. On peut les remplacer sans problème par des fèves classiques, des haricots noirs ou bien des haricots rouges séchés.

INGRÉDIENTS

Pour 6 personnes

350 g • 1¹/₂ tasses de grosses fèves brunes séchées
2 brins de thym frais
2 feuilles de laurier
1 oignon coupé en deux
4 gousses d'ail pressées
2.5 ml • 1¹/₂ cuil. à thé de cumin en poudre
3 oignons nouveaux finement hachés
90 ml • 6 cuil. à table de persil frais haché
20 ml • 4 cuil. à thé de jus de citron
90 ml • 6 cuil. à table d'huile d'olive
3 œufs durs écalés
  et grossièrement hachés
1 gros cornichon grossièrement haché
sel et poivre noir fraîchement moulu

1 Mettez les fèves ou les haricots dans un saladier d'eau froide et laissez-les tremper toute la nuit. Le lendemain, égouttez-les, plongez-les dans une casserole et recouvrez-les d'eau. Portez à ébullition et faites cuire à gros bouillons 10 minutes.

LE CONSEIL DU CHEF

Le temps de cuisson des haricots secs peut varier considérablement. Certains seront prêts en 45 minutes, d'autres devront cuire bien plus longtemps.

2 Baissez le feu et ajoutez le thym, les feuilles de laurier et l'oignon. Laissez frémir très doucement pendant 1 heure environ, jusqu'à ce que les fèves soient bien tendres. Ensuite, égouttez et jetez les aromates et l'oignon.

3 Mélangez les oignons nouveaux, l'ail, le cumin, le persil, le jus de citron et l'huile. Salez et poivrez, puis versez la sauce sur les fèves et mélangez doucement le tout. Incorporez délicatement les œufs et le cornichon et servez immédiatement.

Salade de pâtes aux poivrons et aux champignons

L'association de poivrons grillés et de champignons des bois donne à cette salade de pâtes une belle touche colorée.

INGRÉDIENTS

Pour 6 personnes

1 poivron rouge coupé en deux
1 poivron jaune coupé en deux
1 poivron vert coupé en deux
350 g • 12 oz de pâtes (gnocchis ou torsades) à la farine complète
30 ml • 2 cuil. à table d'huile d'olive
45 ml • 3 cuil. à table de vinaigre balsamique
75 ml • 5 cuil. à table de jus de tomates
30 ml • 2 cuil. à table de basilic frais haché
15 ml • 1 cuil. à table de thym frais haché
175 g • 6 oz de champignons parfumés ou shiitake émincés
175 g • 6 oz de champignons de paille ou volvaires émincés
400 g • 14 oz de cornilles ou autres haricots secs en boîte, rincés et égouttés
125 g • 4 oz • ²/₃ tasse de raisins de Smyrne
2 bouquets d'oignons nouveaux hachés
sel et poivre noir fraîchement moulu

2 Pendant ce temps, faites cuire les pâtes dans une eau bouillante légèrement salée 10 à 12 minutes, jusqu'à ce qu'elles soient tendres, puis égouttez-les bien.

3 Mélangez l'huile, le vinaigre, le jus de tomates, le basilic et le thym frais. Ajoutez cette sauce aux pâtes chaudes et remuez bien.

4 Retirez la peau des poivrons, puis égrenez-les et coupez-les en fines lamelles. Ajoutez les poivrons, les champignons, les cornilles, les raisins secs et les oignons nouveaux aux pâtes. Salez et poivrez, puis mélangez bien. Servez immédiatement, ou couvrez la salade et mettez-la au réfrigérateur jusqu'au moment de passer à table.

1 Préchauffez le gril. Posez les poivrons, la face coupée tournée vers le bas, sur la grille d'une lèche-frite et passez-les sous le gril pendant 10 à 15 minutes, jusqu'à ce que la peau soit noire. Couvrez ensuite les poivrons avec un torchon humide et laissez-les refroidir.

Salade de pâtes complètes aux petits légumes

Cette salade nourrissante se compose avec un large assortiment de légumes verts de saison.

Pour 8 personnes

450 g • 1 lb de pâtes courtes à la farine complète, des fusilli ou des penne par exemple

45 ml • 3 cuil. à table d'huile d'olive

2 carottes de taille moyenne

1 petite tête de brocoli

175 g • 6 oz • 1 tasse de petits pois écossés, frais ou surgelés

1 poivron rouge ou jaune égrené

2 branches de céleri

4 oignons nouveaux

1 grosse tomate

75 g • 3 oz • ¹/₂ tasse d'olives dénoyautées

Pour la vinaigrette

45 ml • 3 cuil. à table de vinaigre de vin ou de vinaigre balsamique

60 ml • 4 cuil. à table d'huile d'olive

15 ml • 1 cuil. à table de moutarde de Dijon

15 ml • 1 cuil. à table de graines de sésame

10 ml • 2 cuil. à thé d'un mélange d'aromates frais hachés, du persil, du thym et du basilic par exemple

125 g • ²/₃ tasse de cheddar ou de mozzarella, ou un mélange des deux, coupés en dés

sel et poivre noir fraîchement moulu

coriandre pour garnir

1 Faites cuire les pâtes dans une grande casserole d'eau bouillante salée, jusqu'à ce qu'elles soient tendres. Égouttez-les et rincez-les à l'eau froide pour arrêter la cuisson.

2 Égouttez-les bien à nouveau et versez-les dans un grand saladier. Ajoutez 45 ml • 3 cuil. à table d'huile d'olive, mélangez bien et réservez. Laissez refroidir complètement avant d'ajouter les autres ingrédients.

3 Faites légèrement blanchir les carottes, le brocoli et les petits pois dans une grande casserole d'eau bouillante. Passez-les ensuite sous l'eau froide et égouttez-les.

4 Coupez les carottes et le brocoli en petits morceaux et ajoutez-les aux pâtes avec les petits pois. Émincez le poivron, le céleri, les oignons nouveaux et coupez la tomate en dés. Mélangez-les à la salade avec les olives.

5 Préparez la vinaigrette dans un bol : mélangez le vinaigre avec l'huile et la moutarde. Incorporez les graines de sésame et les aromates. Versez la vinaigrette sur la salade et mélangez bien le tout. Rectifiez l'assaisonnement si besoin est. Ajoutez enfin le fromage et laissez reposer la salade 15 minutes avant de la servir. Garnissez de coriandre fraîche.

Salade de riz aux fruits

Cette salade de riz très appétissante est idéale pour un pique-nique.

INGRÉDIENTS

Pour 4 à 6 personnes

225 g • 8 oz • 1 tasse de mélange de riz
   complet et de riz sauvage

1 poivron jaune égrené et coupé en dés

1 bouquet d'oignons nouveaux hachés

3 branches de céleri hachées

1 grosse tomate coupée en morceaux

2 pommes Granny Smith
   coupées en petits morceaux

175 g • 6 oz • ³/₄ tasse d'abricots secs hachés

125 g • 4 oz • ²/₃ tasse de raisins secs

30 ml • 2 cuil. à table de jus de pommes
   sans sucre ajouté

30 ml • 2 cuil. à table de porto sec

30 ml • 2 cuil. à table de sauce de soja claire

quelques gouttes de Tabasco

30 ml • 2 cuil. à table de persil frais haché

15 ml • 1 cuil. à table de romarin frais haché

sel et poivre noir fraîchement moulu

2 Mettez les poivrons, les oignons nouveaux, le céleri, la tomate, les pommes, les abricots, les raisins secs et le riz cuit dans un saladier de service et mélangez bien.

3 Dans un bol, versez le jus de pommes, le porto, la sauce de soja, le Tabasco et les aromates. Salez et poivrez.

4 Mélangez la sauce à la salade de riz. Servez immédiatement, ou bien couvrez la salade et mettez-la au réfrigérateur jusqu'au moment de passer à table.

1 Faites cuire le riz dans une grande casserole d'eau bouillante légèrement salée pendant 30 minutes environ (conformez-vous au temps de cuisson indiqué sur l'emballage), jusqu'à ce qu'il soit tendre. Rincez-le pour le refroidir rapidement, et égouttez-le bien.

Salade de concombres marinés

Faites dégorger vos concombres avec du sel : ils seront encore plus croquants.

INGRÉDIENTS

Pour 4 à 6 personnes

2 concombres de taille moyenne

15 ml • 1 cuil. à table de sel

90 g • 3½ oz • ½ tasse de sucre en poudre

200 ml • 6 oz • ¾ tasse de cidre brut

15 ml • 1 cuil. à table de vinaigre de cidre

45 ml • 3 cuil. à table d'aneth frais haché

1 pincée de poivre noir fraîchement moulu

1 brin d'aneth pour garnir

1 Coupez les concombres en fines rondelles et mettez-les dans une passoire, en les saupoudrant de sel entre chaque couche. Posez la passoire sur un saladier et laissez dégorger les concombres pendant 1 heure.

2 Rincez bien les rondelles de concombres sous l'eau froide pour éliminer l'excédent de sel, puis séchez-les avec de l'essuie-tout.

3 Chauffez doucement le sucre, le cidre et le vinaigre dans une casserole jusqu'à ce que le sucre ait fondu. Retirez du feu et laissez refroidir. Mettez les rondelles de concombres dans un saladier, versez la sauce au cidre dessus et laissez-les mariner pendant 2 heures.

4 Égouttez les rondelles de concombres, puis parsemez-les d'aneth et de poivre selon votre goût. Mélangez bien et transférez dans un plat de service. Garnissez la salade avec un brin d'aneth et mettez-la au réfrigérateur jusqu'au moment de la servir.

Salade grecque

Accompagnée d'un morceau de pain, cette salade traditionnelle fait un excellent repas.

INGRÉDIENTS

Pour 4 personnes

1 romaine

1 • 2 concombre coupé en deux
   dans la longueur

4 tomates

8 oignons nouveaux

50 g • 1/3 tasse d'olives noires à la grecque

125 g • 4 oz de feta

90 ml • 6 cuil. à table de vinaigre de vin blanc

120 ml • 4 oz • 1/2 tasse d'huile d'olive

sel et poivre noir fraîchement moulu

olives noires et pain pour servir
   (facultatif)

3 Émincez les oignons nouveaux. Mélangez-les avec les olives aux autres ingrédients.

4 Coupez la feta en dés et ajoutez-la à la salade.

5 Versez le vinaigre, l'huile d'olive, le sel et le poivre dans un bol et fouettez bien. Versez cette vinaigrette sur la salade et mélangez bien. Servez immédiatement, accompagné si vous le souhaitez d'olives et de pain frais.

1 Lavez et essorez la salade, puis mettez-la dans un grand saladier. Coupez le concombre en demi-rondelles que vous ajoutez dans le saladier.

2 Coupez les tomates en quartiers et ajoutez-les au concombre.

LE CONSEIL DU CHEF

Vous pouvez préparer cette salade à l'avance et la mettre au réfrigérateur. Attendez toutefois le dernier moment pour ajouter les feuilles de salade verte et la vinaigrette. Conservez cette dernière à température ambiante, car le froid tue son parfum.

Salade d'épinards et d'avocat

Les jeunes feuilles tendres des épinards changent agréablement de la laitue. Elles sont délicieuses servies avec de l'avocat, des tomates cerises, des radis et accompagnées d'une sauce au tofu.

INGRÉDIENTS

Pour 2 à 3 personnes

1 gros avocat

le jus d'1 citron vert

225 g • 8 oz de petites feuilles d'épinards tendres

125 g • 4 oz de tomates cerises

4 oignons nouveaux émincés

1/2 concombre

50 g • 2 oz de radis émincés

Pour la sauce

125 g • 4 oz de tofu crémeux

50 ml • 3 cuil. à table de lait

10 ml • 2 cuil. à thé de moutarde

2.5 ml • 1/2 cuil. à thé de vinaigre de vin blanc

1 pincée de piment de Cayenne, plus de quoi servir

sel et poivre noir fraîchement moulu

1 Coupez l'avocat en deux, retirez le noyau et la peau. Débitez la chair en tranches fines et posez-les sur une assiette. Arrosez-les avec le jus de citron vert et réservez.

LE CONSEIL DU CHEF

Plutôt que du tofu en bloc assez ferme, utilisez pour préparer cette sauce de la pâte de soja crémeuse longue conservation.

2 Lavez et séchez les feuilles d'épinards, puis mettez-les dans un saladier.

3 Coupez les plus grosses tomates cerises en deux, puis ajoutez-les aux épinards avec les oignons nouveaux. Débitez le concombre en petits morceaux, et mélangez-les à la salade avec les radis émincés.

4 Pour la sauce, mettez le tofu, le lait, la moutarde, le vinaigre de vin et le piment de Cayenne dans le bol d'un mixer. Salez et poivrez selon votre goût, puis mixez 30 secondes, jusqu'à ce que la sauce soit bien homogène. Versez-la dans un bol, et allongez-la éventuellement d'un peu de lait. Saupoudrez de piment de Cayenne, puis garnissez avec des radis sculptés en forme de fleurs et des brins d'aromates.

Salade tiède de farfalle aux poivrons aigres-doux

Cette salade de pâtes toute simple doit son originalité à son assaisonnement un peu acidulé.

INGRÉDIENTS

Pour 4 à 6 personnes

1 poivron rouge, 1 jaune et 1 orange
1 gousse d'ail pressée
30 ml • 2 cuil. à table de câpres
30 ml • 2 cuil. à table de raisins secs
5 ml • 1 cuil. à thé de moutarde à l'ancienne
le zeste râpé et le jus d'1 citron vert
5 ml • 1 cuil. à thé de miel liquide
30 ml • 2 cuil. à table de coriandre fraîche hachée
225 g • 8 oz de farfalle (pâtes que l'on appelle aussi « papillons »)
sel et poivre noir fraîchement moulu
parmesan pour servir (facultatif)

1 Coupez les poivrons en quatre, égrenez-les et retirez les fibres blanches. Cuisez-les 10 à 15 minutes dans de l'eau bouillante, jusqu'à ce qu'ils soient bien tendres. Égouttez-les et rincez-les sous l'eau froide. Pelez-les et coupez-les en fines lamelles dans le sens de la longueur.

2 Mettez l'ail, les câpres, les raisins secs, la moutarde, le zeste et le jus de citron vert, le miel et la coriandre dans un bol. Salez, poivrez et fouettez le tout.

3 Faites cuire les pâtes dans une grande casserole d'eau bouillante salée pendant 10 à 12 minutes, jusqu'à ce qu'elles soient tendres. Égouttez-les bien.

4 Remettez les pâtes dans la casserole, ajoutez les poivrons et la sauce. Chauffez doucement et mélangez bien le tout. Transférez la salade dans un saladier préchauffé. Servez éventuellement avec du parmesan.

Salade de boulgour aux fèves

L'idéal est de servir cette salade appétissante avec du pain complet bien croustillant et un chutney ou des condiments maison.

INGRÉDIENTS

Pour 6 personnes

350 g • 12 oz • 2 tasses de boulgour

225 g • 8 oz de fèves surgelées

125 g • 4 oz • 1 tasse de petits pois surgelés

225 g • 8 oz de tomates cerises coupées en deux

1 oignon d'Espagne haché

1 poivron rouge égrené et haché

50 g • 2 oz de pois gourmands hachés

50 g • 2 oz de cresson

15 ml • 1 cuil. à table de persil frais haché

15 ml • 1 cuil. à table de basilic frais haché

15 ml • 1 cuil. à table de thym frais haché

vinaigrette

sel et poivre noir fraîchement moulu

3 Incorporez les tomates cerises, l'oignon, le poivron, les pois gourmands et le cresson au boulgour, puis mélangez tous les ingrédients.

4 Versez les aromates hachés et la vinaigrette. Salez, poivrez et servez immédiatement ou bien couvrez et mettez la salade au réfrigérateur jusqu'au moment de passer à table.

1 Faites tremper le boulgour, puis cuisez-le selon les instructions portées sur l'emballage. Égouttez-le bien et versez-le dans un saladier.

2 Pendant ce temps, faites cuire les fèves et les petits pois 3 minutes dans de l'eau bouillante. Égouttez-les et ajoutez-les au boulgour.

LE CONSEIL DU CHEF

Vous pouvez remplacer le boulgour par du couscous, du riz complet ou des pâtes à la farine complète.

Salade d'artichauts à la sauce aigre-douce

La sauce aigre-douce assaisonne à merveille cette salade de légumes.

Pour 4 personnes

6 petits artichauts violets
(également appelés poivrades)
le jus d'1 citron
30 ml • 2 cuil. à table d'huile d'olive
2 oignons de taille moyenne,
grossièrement hachés
175 g • 6 oz • 1 tasse de fèves fraîches
175 g • 6 oz • 1 tasse de petits pois frais
sel et poivre noir fraîchement moulu
feuilles de menthe fraîche pour garnir

Pour la sauce aigre-douce

120 ml • 4 oz • 1/2 tasse de vinaigre blanc
15 ml • 1 cuil. à table de sucre en poudre
1 poignée de feuilles de menthe fraîche
grossièrement déchirées

3 Égouttez les artichauts et mettez-les dans la casserole. Versez environ 300 ml • 1 1/4 tasses d'eau et couvrez. Laissez frémir doucement 10 à 15 minutes.

4 Ajoutez les petits pois, salez, poivrez et faites cuire le tout 5 minutes de plus, en remuant de temps en temps, jusqu'à ce que les légumes soient tendres.

5 Égouttez les légumes dans une passoire, puis mettez-les dans un saladier. Laissez refroidir avant de couvrir et de mettre au réfrigérateur.

6 Préparez la sauce aigre-douce : chauffez doucement tous les ingrédients dans une casserole jusqu'à ce que le sucre ait fondu, puis laissez frémir 5 minutes. Lorsque la sauce a refroidi, arrosez-en la salade. Garnissez avec les feuilles de menthe.

1 Retirez les feuilles extérieures des artichauts, puis coupez ces derniers en quatre. Mettez-les dans un saladier rempli d'eau additionnée du jus de citron.

2 Dans une grande casserole huilée chaude, faites dorer les oignons. Ajoutez les fèves et remuez.

Salade espagnole aux asperges et aux oranges

*En Espagne, les assaisonnements
de salade compliqués sont rares.
On se contente plutôt du parfum
d'une huile d'olive de bonne qualité.*

INGRÉDIENTS

Pour 4 personnes

225 g • 8 oz d'asperges débitées en
    morceaux de 5 cm • 2 pouces de long
2 grosses oranges
2 tomates coupées en huit
50 g • 2 oz de feuilles de romaine recoupées
30 ml • 2 cuil. à table d'huile d'olive
2.5 ml • ¹/₂ cuil. à thé de vinaigre de Xérès
sel et poivre noir fraîchement moulu

1 Faites cuire les asperges dans de
l'eau bouillante salée pendant 3 à
4 minutes, jusqu'à ce qu'elles soient
tendres. Égouttez-les, puis passez-les
sous l'eau froide.

2 Râpez le zeste d'une demie
orange et réservez-le. Pelez les 2
oranges et coupez-les en tranches.
Pressez le jus resté dans la peau et
réservez-le.

3 Mettez les asperges, les tranches
d'oranges, les tomates et les
feuilles de salade dans un saladier.
Mélangez l'huile et le vinaigre, puis
ajoutez 15 ml • 1 cuil. à table du jus
d'orange recueilli précédemment et
2.5 ml • 1 cuil. à thé de zeste. Salez et
poivrez la vinaigrette. Juste avant de
servir, versez-la sur la salade et
mélangez le tout délicatement.

LE CONSEIL DU CHEF

Vous pouvez remplacer
la romaine par de la scarole
ou de la rougette.

Salade au chèvre chaud

La salade verte et le fromage sont ici préparés pour une entrée rapide, ou bien pour un déjeuner léger. Le goût frais et relevé du fromage de chèvre contraste avec la saveur douce des feuilles de salade.

INGRÉDIENTS

Pour 4 personnes

2 petits fromages de chèvre ronds, des crottins de Chavignol par exemple (de 65 à 115 g • 2¹/₂ à 4 oz chacun)

4 tranches de pain

huile d'olive

175 g • 6 oz de mesclun comprenant à la fois des variétés de salades douces et d'autres plus amères

ciboulette fraîche ciselée pour garnir

Pour la vinaigrette

1/2 gousse d'ail

5 ml • 1 cuil. à thé de moutarde de Dijon

5 ml • 1 cuil. à thé de vinaigre de vin blanc

5 ml • 1 cuil. à thé de vin blanc sec

45 ml • 3 cuil. à table d'huile d'olive

sel et poivre noir fraîchement moulu

1 Préparez la vinaigrette : frottez un grand saladier avec la face coupée de la gousse d'ail. Mélangez la moutarde, le vinaigre, le vin, le sel et le poivre dans un bol. Ajoutez l'huile cuillerée par cuillerée en fouettant bien le tout, de façon à obtenir une vinaigrette épaisse.

2 Coupez les crottins en deux dans le sens de la largeur avec un couteau bien tranchant. Préchauffez le gril.

3 Lorsque le gril est chaud, disposez les tranches de pain sur une plaque tapissée de papier d'aluminium et faites-les griller. Retournez-les et posez un demi-fromage sur chacune. Arrosez d'un filet d'huile d'olive et grillez jusqu'à ce que le fromage soit légèrement doré.

4 Mettez le mesclun dans le saladier, versez la vinaigrette et remuez les feuilles de salade. Répartissez la salade sur 4 assiettes, déposez sur chacune un canapé au fromage de chèvre et servez immédiatement, garni de ciboulette.

Salade de tomates à la feta

Accompagnées de feta et d'huile d'olive, les tomates mûries au soleil sont généralement meilleures. Servie avec un pain bien croustillant, cette salade, très populaire en Grèce et en Turquie, peut constituer un repas léger.

INGRÉDIENTS

Pour 4 personnes

900 g • 2 lb de tomates
200 g • 7 oz de feta
120 ml • 4 oz • 1/2 tasse d'huile d'olive
12 olives noires
4 brins de basilic frais
poivre noir fraîchement moulu

1 Retirez le cœur dur des tomates avec un petit couteau tranchant.

LE CONSEIL DU CHEF

La feta est un fromage assez fort, parfois très salé. La variété la moins salée est importée de Grèce et de Turquie. On la trouve dans les épiceries orientales et chez les traiteurs spécialisés.

2 Coupez les tomates en rondelles épaisses et disposez-les dans un plat creux.

3 Émiettez la feta sur les tomates et arrosez le tout d'huile d'olive. Répartissez ensuite les olives noires et le basilic frais. Poivrez et servez à température ambiante.

Salade de fenouil et de roquette à l'orange

Cette salade légère et rafraîchissante
accompagne parfaitement
les plats riches ou épicés.

INGRÉDIENTS

Pour 4 personnes

2 oranges

1 cœur de fenouil

125 g • 4 oz de roquette

50 g • 2 oz • 1/3 tasse d'olives noires

Pour la vinaigrette

30 ml • 2 cuil. à table d'huile d'olive

15 ml • 1 cuil. à table de vinaigre balsamique

1 petite gousse d'ail pressée

sel et poivre noir fraîchement moulu

1 Découpez de fines écorces de peau d'orange avec un économe, sans prélever la peau blanche.

2 Détaillez-les en julienne, puis faites-les blanchir quelques minutes dans de l'eau bouillante. Égouttez-les bien.

3 Pelez les oranges en retirant toute la peau blanche. Coupez ensuite les oranges transversalement en fines rondelles et retirez les éventuels pépins.

4 Coupez le fenouil en deux dans le sens de la longueur, puis émincez-le le plus finement possible dans le sens de la largeur. Cette opération est plus facile avec un mixer équipé d'un disque à émincer, ou bien avec une mandoline.

5 Mettez les rondelles d'oranges et le fenouil dans un saladier, puis incorporez les feuilles de roquette.

6 Mélangez l'huile, le vinaigre, l'ail, le sel et le poivre et versez cette vinaigrette sur la salade. Remuez bien, puis laissez reposer quelques minutes. Garnissez avec les olives noires et les lamelles de peau d'orange.

Salade d'aubergine au citron et aux câpres

Cette salade de légumes cuits est
délicieuse servie avec des pâtes,
ou bien accompagnée d'un bon
pain bien croustillant.

INGRÉDIENTS

Pour 4 personnes

1 grosse aubergine de 700 g • 1 1/2 lb environ

5 ml • 1 cuil. à thé de sel

60 ml • 4 cuil. à table d'huile d'olive

le zeste et le jus d'un citron

30 ml • 2 cuil. à table de câpres rincées

12 olives vertes dénoyautées

1 petite gousse d'ail hachée

30 ml • 2 cuil. à table de persil plat frais haché

sel et poivre noir fraîchement moulu

1 Coupez l'aubergine en dés de 2,5 cm • 1 pouce de côté. Mettez les morceaux d'aubergine dans une passoire et saupoudrez-les de sel. Laissez-les dégorger 30 minutes, puis rincez-les bien sous l'eau froide et séchez-les avec de l'essuie-tout.

2 Chauffez l'huile d'olive dans une grande poêle. Faites revenir les dés d'aubergine à feu moyen pendant une dizaine de minutes, en remuant régulièrement, jusqu'à ce qu'ils aient doré et ramolli. Peut-être serez-vous obligé de procéder en deux fois pour que tous les morceaux d'aubergine dorent bien. Égouttez-les sur de l'essuie-tout et salez légèrement.

LE CONSEIL DU CHEF

Cette salade sera encore meilleure si vous la préparez la veille. Si vous la couvrez, elle se garde jusqu'à 4 jours au réfrigérateur. Si vous souhaitez la proposer en plat unique, ajoutez-y des pignons grillés et des copeaux de parmesan et servez-la avec du pain bien croustillant.

3 Mettez les dés d'aubergine dans un grand saladier, ajoutez le zeste et le jus de citron, les câpres, les olives, l'ail et le persil hachés et mélangez bien.

4 Salez, poivrez et servez à température ambiante.

Salade de roquette et de poires au parmesan

Cette salade composée de poires, de parmesan frais et de feuilles de roquette très aromatiques fera une entrée originale et sophistiquée, idéale pour un repas élaboré.

INGRÉDIENTS

Pour 4 personnes

3 poires williams ou packham mûres

10 ml • 2 cuil. à thé de jus de citron

45 ml • 3 cuil. à table d'huile de noix ou de noisette

125 g • 4 oz de roquette

75 g • 3 oz de parmesan frais

poivre noir fraîchement moulu

pain bien levé pour servir

1 Pelez les poires et ôtez le cœur, puis coupez-les en tranches épaisses. Arrosez-les de jus de citron pour que la chair ne brunisse pas.

2 Versez l'huile de noix sur les poires, ajoutez la roquette et mélangez.

3 Répartissez la salade sur 4 petites assiettes et garnissez de copeaux de parmesan. Assaisonnez de poivre noir et servez avec le pain.

LE CONSEIL DU CHEF

Si vous avez du mal à trouver de la roquette sur le marché, vous pouvez en cultiver du début du printemps jusqu'à la fin de l'été.

Salade de tomates aux oignons et à la coriandre

Cette salade connue sous le nom de « Cachumbar » accompagne très souvent les currys indiens. Il en existe de nombreuses variantes. Celle-ci vous laissera une sensation de fraîcheur après un repas épicé.

INGRÉDIENTS

Pour 4 personnes

3 tomates mûres
2 oignons nouveaux hachés
1 bonne pincée de sucre en poudre
45 ml • 3 cuil. à table de coriandre fraîche hachée

2 Coupez les tomates en deux, ôtez les graines, puis détaillez la chair en petits dés.

3 Mélangez les tomates avec les oignons nouveaux hachés, le sucre, la coriandre et le sel. Servez à température ambiante.

1 Retirez le cœur dur des tomates avec un petit couteau tranchant.

LE CONSEIL DU CHEF

Cette salade rafraîchissante est également parfaite pour compléter la garniture d'un pita fourré à l'hoummos.

Les Accompagnements

~

Pommes de terre sautées au romarin

Ce grand classique de la cuisine
est ici parfumé au romarin.

INGRÉDIENTS

Pour 6 personnes

1,3 kg • 3 lb de pommes de terre,
  des charlottes par exemple
60 à 90 ml • 4 à 6 cuil. à table d'huile
  ou de beurre clarifié
2 ou 3 brins de romarin frais sur lesquels
  on prélève les feuilles pour les hacher
sel et poivre noir fraîchement moulu

1 Épluchez les pommes de terre et coupez-les en morceaux de 2,5 cm • 1 pouce de côté. Mettez-les dans un saladier, recouvrez-les d'eau froide et laissez-les tremper 10 à 15 minutes. Égouttez-les, puis rincez-les et égouttez-les à nouveau avant de les sécher dans un torchon.

2 Chauffez 60 ml • 4 cuil. à table d'huile ou de beurre à feu moyen jusqu'à ce que la matière grasse soit très chaude mais ne fume pas. Mettez les pommes de terre à cuire pendant 2 minutes environ sans les remuer, pour qu'une croûte dorée se forme sur un côté.

3 Secouez la poêle et remuez les pommes de terre pour les faire dorer d'un autre côté. Salez, poivrez.

4 Rajoutez un peu de beurre ou d'huile et poursuivez la cuisson à feu modéré pendant 20 à 25 minutes, en secouant la poêle fréquemment, jusqu'à ce que les pommes de terre soient tendres. Environ 5 minutes avant la fin de la cuisson, parsemez les pommes de terre de romarin haché.

Galette de pommes de terre

Vous pouvez aussi confectionner
plusieurs galettes individuelles
au lieu d'une grande. Pensez
simplement à réduire le temps
de cuisson dans ce cas.

INGRÉDIENTS

Pour 4 personnes

450 g • 1 lb de pommes de terre,
  des charlottes par exemple
25 ml • 1 1/2 cuil. à table de beurre fondu
15 ml • 1 cuil. à table d'huile végétale
sel et poivre noir fraîchement moulu

1 Épluchez les pommes de terre et râpez-les grossièrement, puis arrosez-les immédiatement avec le beurre fondu et remuez bien. Salez et poivrez.

2 Chauffez l'huile dans une grande poêle. Ajoutez les pommes de terre râpées et tassez-les avec une spatule en bois de façon à couvrir le fond de la poêle d'une couche régulière. Faites cuire la galette à feu moyen pendant 7 à 10 minutes, jusqu'à ce que le dessous soit bien doré.

3 Détachez la galette en secouant la poêle ou bien en glissant une palette dessous.

4 Pour retourner la galette, renversez une grande plaque à pâtisserie au-dessus de la poêle, puis, en la tenant fermement contre celle-ci, retournez-les simultanément. Soulevez ensuite la poêle, remettez-la sur le feu et rajoutez un peu d'huile si elle a l'air sèche. Faites enfin glisser la galette dans la poêle et poursuivez la cuisson jusqu'à ce qu'elle soit croustillante et bien dorée des deux côtés. Servez chaud.

Petits choux à la crème de pommes de terre

Il ne s'agit pas de vrais choux, mais de mini-puddings fourrés d'une purée de pommes de terre très crémeuse. Parfaits pour accompagner un gratin de légumes, ils peuvent aussi constituer un plat unique, accompagné de salades.

INGRÉDIENTS

Pour 6 choux

300 g • 10 oz de pommes de terre
lait crémeux et beurre pour la purée
5 ml • 1 cuil. à thé de persil frais haché
5 ml • 1 cuil. à thé d'estragon frais haché
75 g • 3 oz • ²/₃ tasse de farine
1 œuf
environ 150 ml • 4 oz • ¹/₂ tasse de lait
huile ou margarine de tournesol,
    pour graisser les ramequins
sel et poivre noir fraîchement moulu

1 Faites bouillir les pommes de terre jusqu'à ce qu'elles soient tendres, puis écrasez-les en purée avec un peu de beurre et de lait. Ajoutez le persil et l'estragon hachés, salez et poivrez. Préchauffez le four à 200°C • 400°F.

2 Mettez la farine, l'œuf, le lait et 1 pincée de sel dans le bol d'un mixer et mixez jusqu'à obtention d'une pâte bien homogène.

3 Déposez environ 2.5 ml • ¹/₂ cuil. à thé d'huile ou une petite noisette de margarine dans 6 ramequins et enfournez-les sur une plaque à pâtisserie pendant 2 à 3 minutes, jusqu'à ce que la matière grasse soit très chaude.

4 En la travaillant rapidement, versez une petite quantité de pâte (20 ml • 4 cuil. à thé environ) dans chaque ramequin. Ajoutez 1 cuillerée à soupe bombée de purée de pommes de terre, puis répartissez le reste de pâte dans les ramequins. Enfournez et faites cuire les choux 15 à 20 minutes, jusqu'à ce qu'ils soient bien gonflés et dorés.

5 Avec une palette, démoulez délicatement les choux et disposez-les sur un grand plat préchauffé. Servez immédiatement.

Gratin dauphinois

Riche et crémeux, ce plat est parfait pour se revigorer lorsqu'il fait bien froid dehors.

Pour 4 personnes

675 g • 1¹/₂ lb de pommes de terre pelées et coupées en fines rondelles

1 gousse d'ail

25 g • 1 oz • 2 cuil. à table de beurre

300 ml • 1¹/₄ tasse de crème fraîche liquide

50 ml • 2 oz • ¹/₄ tasse de lait

sel et poivre blanc

1 Préchauffez le four à 150°C • 300°F. Mettez les rondelles de pommes de terre dans un saladier d'eau froide pour éliminer le surplus d'amidon. Égouttez-les et séchez-les avec de l'essuie-tout.

2 Coupez la gousse d'ail en deux et frottez l'intérieur d'un plat à gratin avec la face coupée de la gousse. Beurrez ensuite le plat généreusement. Mélangez la crème fraîche et le lait dans une jatte.

3 Couvrez le fond du plat d'une couche de pommes de terre. Parsemez les pommes de terre de quelques noisettes de beurre, salez et poivrez, puis versez un peu de mélange crème et lait par-dessus. Continuez à remplir le plat, en procédant par couches et terminez par de la crème.

4 Enfournez le plat et faites cuire le gratin 1 heure et 15 minutes environ. S'il a tendance à dorer trop rapidement, couvrez le plat d'un couvercle ou d'un morceau de papier d'aluminium. Le gratin est prêt lorsque les pommes de terre sont très fondantes et que le dessus est bien doré.

Sauté épicé de pommes de terre et de chou-fleur

Cette recette très simple à préparer peut faire office de plat principal, accompagnée de riz ou d'un pain indien, d'une salade indienne, une raïta au concombre et au yaourt par exemple, et d'une sauce à la menthe fraîche.

INGRÉDIENTS

Pour 2 personnes

250 g • 8 oz de pommes de terre

75 ml • 5 cuil. à table d'huile d'arachide

5 ml • 1 cuil. à thé de cumin en poudre

5 ml • 1 cuil. à thé de coriandre en poudre

1 bonne pincée de curcuma en poudre

1 bonne pincée de piment de Cayenne

1 piment vert frais, égrené
   et finement haché

1 chou-fleur de taille moyenne
   en fleurettes

5 ml • 1 cuil. à thé de graines de cumin

2 gousses d'ail finement émincées

15 à 30 ml • 1 à 2 cuil. à table de coriandre
   fraîche finement hachée

sel

1 Faites cuire les pommes de terre non épluchées dans de l'eau bouillante salée pendant 20 minutes, jusqu'à ce qu'elles soient tendres. Égouttez-les et laissez-les refroidir. Lorsqu'elles sont assez froides pour être manipulées, pelez-les et coupez-les en dés de 2,5 cm • 1 pouce de côté.

2 Chauffez 45 ml • 3 cuil. à table d'huile dans une poêle ou un wok. Lorsqu'elle est chaude, ajoutez le cumin, la coriandre, le curcuma, le piment de Cayenne et le piment frais, et faites revenir les épices pendant quelques secondes.

3 Mettez le chou-fleur et 60 ml • 4 cuil. à table d'eau environ. Laissez cuire le tout à feu moyen pendant 6 à 8 minutes, en remuant constamment. Ajoutez les pommes de terre et faites-les sauter pendant 2 à 3 minutes. Salez, puis retirez du feu.

4 Chauffez le reste d'huile dans une petite poêle. Une fois chaude, mettez les graines de cumin et l'ail émincé à dorer légèrement. Versez sur les légumes, parsemez le plat de coriandre fraîche hachée et servez immédiatement.

Purée de pommes de terre à l'ail

Cette purée crémeuse est délicieusement parfumée. Bien que deux têtes d'ail semblent beaucoup, la saveur du plat reste douce lorsqu'on le fait cuire ainsi.

INGRÉDIENTS

Pour 6 à 8 personnes

2 têtes d'ail, les gousses détachées
   mais non pelées
115 g • 4 oz • ¹/₂ tasse de beurre
1,3 kg • 3 lb de pommes de terre,
   des charlottes par exemple
120 à 170 ml • ¹/₂ à ³/₄ tasse de lait
sel et poivre blanc

1 Portez une petite quantité d'eau à ébullition. Faites blanchir les gousses d'ail 2 minutes, puis égouttez-les et pelez-les.

2 Dans une poêle à fond épais, faites fondre la moitié du beurre à feu doux. Ajoutez les gousses d'ail blanchies, puis couvrez et faites-les cuire doucement 20 à 25 minutes, jusqu'à ce qu'elles soient très tendres et dorées, en secouant la poêle et en remuant de temps en temps. Ne laissez pas l'ail attacher ni roussir.

3 Retirez la poêle du feu et laissez refroidir légèrement. Mettez l'ail et le beurre restant dans le bol d'un mixer et mixez jusqu'à obtention d'une pâte homogène. Versez-la dans un bol et protégez-la d'un morceau de film alimentaire pour éviter la formation d'une peau. Réservez.

4 Épluchez les pommes de terre et coupez-les en quatre, puis mettez-les dans une grande casserole et recouvrez-les d'eau froide. Salez et portez à ébullition.

5 Laissez cuire les pommes de terre jusqu'à ce qu'elles soient tendres, puis égouttez-les et passez-les au presse-purée. Mettez la purée dans la casserole, réchauffez-la à feu moyen en remuant avec une spatule en bois pendant 1 à 2 minutes.

6 Chauffez le lait à feu moyen jusqu'à frémissement. Incorporez petit à petit le lait, le reste de beurre et la purée d'ail dans la purée de pommes de terre, puis assaisonnez avec du poivre blanc et du sel, si besoin est.

Pommes de terre aux poivrons et aux échalotes

Ce plat populaire originaire du sud des États-Unis est souvent servi dans les restaurants élégants de La Nouvelle-Orléans.

INGRÉDIENTS

Pour 4 personnes

500 g • 1¼ lb de pommes de terre bien fermes
12 échalotes
2 poivrons jaunes doux
huile d'olive
2 brins de romarin frais
sel et poivre noir fraîchement moulu

1 Préchauffez le four à 200°C • 400°F. Lavez les pommes de terre et faites-les blanchir 5 minutes dans de l'eau bouillante. Égouttez-les.

2 Lorsque les pommes de terre sont froides, pelez-les et coupez-les en deux dans le sens de la longueur. Épluchez les échalotes, et coupez-les en deux ou quatre selon leur grosseur.

3 Détaillez chaque poivron longitudinalement en 8 bandes, retirez les graines et les fibres blanches.

4 Graissez généreusement un plat à gratin avec de l'huile d'olive.

5 Disposez les pommes de terre et les poivrons dans le plat en les intercalant, puis comblez les espaces vides avec les échalotes.

6 Coupez les brins de romarin en morceaux de 5 cm • 2 pouces de long et glissez-les entre les légumes. Arrosez abondamment le plat d'huile d'olive, salez, poivrez et enfournez sans couvrir. Faites cuire 30 à 40 minutes, jusqu'à ce que tous les légumes soient bien tendres.

Patates douces au four

Donnez une note cajun à ces patates douces en les préparant avec du sel, trois variétés de poivre et une bonne quantité de beurre. Servez une demi-patate douce par personne s'il s'agit d'un accompagnement, une entière pour un dîner léger ; dans ce dernier cas, accompagnez le plat d'une salade verte mélangée à du cresson.

INGRÉDIENTS

Pour 3 à 6 personnes

3 patates douces à peau rose
 de 450 g • 1 lb chacune environ
75 g • 3 oz • 6 cuil. à table de beurre
poivres blanc, noir et piment de Cayenne
sel

1 Lavez les patates douces et ne séchez pas la peau, mais frottez-la de sel. Piquez-les partout à l'aide d'une fourchette et posez-les sur une lèchefrite placée à mi-hauteur dans votre four. Faites-les cuire 1 heure à 200°C • 400°F, jusqu'à ce que la chair cède et soit molle au toucher.

LE CONSEIL DU CHEF

Les patates douces cuisent plus vite que les pommes de terre. Par ailleurs, il n'est pas nécessaire de préchauffer le four.

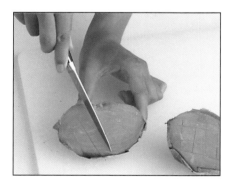

2 Vous pouvez servir ces patates douces entières ou coupées en deux. Dans ce dernier cas, coupez-les dans la longueur et pratiquez des entailles en croisillons dans la chair de chaque moitié. Tartinez ensuite de beurre, en le faisant pénétrer dans les entailles en même temps que les 3 sortes de poivre et le sel.

3 Vous pouvez aussi pratiquer une incision sur toute la longueur de chacune des patates douces que vous servirez ensuite entières. Ouvrez-les légèrement et glissez de petits morceaux de beurre à l'intérieur sur toute leur longueur, puis assaisonnez-les avec les 3 variétés de poivre et 1 pincée de sel.

Riz parfumé à la thaïlandaise

*Ce riz tendre et léger, parfumé
à la citronnelle, accompagne
souvent les currys verts et rouges
de la cuisine thaïlandaise.*

INGRÉDIENTS

Pour 4 personnes

1 brin de citronnelle
2 limes
225 g • 8 oz • 1 tasse de riz basmati complet
15 ml • 1 cuil. à table d'huile d'olive
1 oignon haché
1 morceau de gingembre frais de 2,5 cm •
  1 pouce de long, pelé et finement haché
7.5 ml • 1½ cuil. à thé de graines de coriandre
7.5 ml • 1½ cuil. à thé de graines de cumin
750 ml • 3 tasses de bouillon de légumes
60 ml • 4 cuil. à table de coriandre fraîche hachée
quartiers de lime pour servir

3 Rincez le riz abondamment à l'eau froide et égouttez-le.

5 Ajoutez le riz et faites-le revenir 1 minute avant de verser le bouillon. Portez ensuite à ébullition, puis baissez le feu, couvrez et laissez cuire à feu très doux pendant 30 minutes environ. Vérifiez alors la cuisson du riz. S'il est encore craquant, couvrez à nouveau la cocotte et laissez-le cuire 3 à 5 minutes de plus. Retirez ensuite du feu.

4 Chauffez l'huile dans une grosse cocotte et ajoutez l'oignon, les épices, la citronnelle et le zeste des limes. Faites rissoler le tout 2 à 3 minutes.

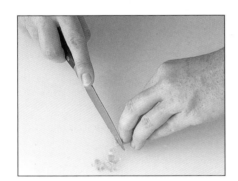

1 Hachez finement la citronnelle avec un couteau bien tranchant.

6 Ajoutez la coriandre fraîche hachée, aérez le riz à la fourchette, couvrez et laissez reposer 10 minutes. Servez avec des quartiers de lime.

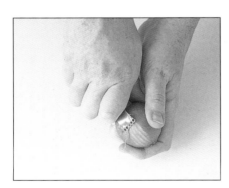

2 Retirez le zeste des limes avec un économe ou une râpe fine. Évitez de prélever la peau blanche.

LE CONSEIL DU CHEF

Vous pouvez aussi préparer
ce plat avec d'autres variétés
de riz, du basmati blanc ou
du riz long grain par exemple.
Prévoyez d'ajuster les temps
de cuisson en conséquence.

Riz aux graines et aux épices

Voici une recette colorée qui accompagne à merveille les currys relevés. Vous obtiendrez un meilleur résultat avec du riz basmati, mais vous pouvez néanmoins utiliser du riz long grain ordinaire.

INGRÉDIENTS

Pour 4 personnes

5 ml • 1 cuil. à thé d'huile de tournesol

2.5 ml • ½ cuil. à thé de curcuma en poudre

6 gousses de cardamome légèrement pilées

5 ml • 1 cuil. à thé de graines de coriandre
    légèrement pilées

1 gousse d'ail pressée

200 g • 7 oz • 1 tasse de riz basmati

400 ml • 1⅔ tasses de bouillon de légumes

125 g • 4 oz • ½ tasse de yaourt nature

15 ml • 1 cuil. à table de graines de
    tournesol grillées

15 ml • 1 cuil. à table de graines de sésame grillées

sel et poivre noir fraîchement moulu

quelques feuilles de coriandre pour garnir

1 Chauffez l'huile dans une poêle à fond anti-adhésif et faites revenir les épices et l'ail environ 1 minute, sans cesser de remuer.

2 Ajoutez le riz et le bouillon, portez à ébullition, puis couvrez et laissez frémir 15 minutes, jusqu'à ce que le riz soit tendre.

3 Incorporez le yaourt et les graines de tournesol et de sésame grillées. Salez, poivrez et servez très chaud, garni avec des feuilles de coriandre.

LE CONSEIL DU CHEF

Les graines étant particulièrement riches en sels minéraux, il est intéressant d'en ajouter dans toutes sortes de plats. Faites-les griller légèrement, elles n'en seront que plus parfumées.

Riz rouge sauté

Ce plat de riz doit autant son attrait aux couleurs vives de ses ingrédients qu'à sa saveur exquise.

INGRÉDIENTS

Pour 2 personnes

150 g • 4¹/₂ oz • ³/₄ tasse de riz basmati

30 ml • 2 cuil. à table d'huile d'arachide

1 petit oignon rouge haché

1 poivron rouge égrené et haché

225 g • 8 oz de tomates cerises coupées en deux

2 œufs battus

sel et poivre noir fraîchement moulu

1 Lavez le riz à plusieurs reprises sous l'eau froide, puis égouttez-le bien. Portez une grande casserole d'eau à ébullition, versez le riz et faites-le cuire 10 à 12 minutes.

2 Pendant ce temps, chauffez l'huile dans un wok jusqu'à ce qu'elle soit très chaude. Ajoutez l'oignon et le poivron et faites-les revenir pendant 2 à 3 minutes. Incorporez les tomates cerises et faites sauter le tout encore 2 minutes.

3 Versez les œufs battus d'un coup. Faites-les cuire 30 secondes sans remuer, puis mélangez pour émietter les œufs qui se figent en omelette.

4 Égouttez le riz cuit, puis faites-le revenir dans le wok 3 minutes en le mélangeant bien aux légumes et aux œufs. Salez, poivrez et servez immédiatement.

Riz pilaf aux herbes

Une recette rapide et simple à préparer. Ce pilaf est délicieux servi avec un assortiment de légumes de saison, des fleurettes de brocolis, des mini-épis de maïs et des carottes nouvelles par exemple.

INGRÉDIENTS

Pour 4 personnes

225 g • 8 oz d'un mélange de riz basmati
    complet et de riz sauvage
15 ml • 1 cuil. à table d'huile d'olive
1 oignon haché
1 gousse d'ail pressée
5 ml • 1 cuil. à thé de cumin en poudre
5 ml • 1 cuil. à thé de curcuma en poudre
50 g • 2 oz • 1/2 tasse de raisins secs
750 ml • 3 tasses de bouillon de légumes
30 à 45 ml • 2 à 3 cuil. à table d'un mélange
    d'herbes aromatiques fraîches hachées
sel et poivre noir fraîchement moulu
quelques brins d'herbes aromatiques fraîches
    et 25 g • 1/4 tasse de pistaches hachées
    pour garnir

1 Lavez le riz à l'eau froide, puis égouttez-le bien. Chauffez l'huile et mettez l'ail et l'oignon à revenir doucement 5 minutes, en remuant de temps en temps.

2 Incorporez les épices, le riz et faites sauter à feu doux pendant 1 minute, en remuant sans cesse. Ajoutez les raisins secs et le bouillon, portez à ébullition, puis couvrez et laissez frémir doucement 20 à 25 minutes, en remuant de temps en temps.

3 Parsemez d'herbes hachées, salez et poivrez. Transférez le pilaf dans un plat préchauffé, puis garnissez-le de pistaches hachées et de quelques brins d'aromates. Servez immédiatement.

Gratin de mini-légumes au fromage

Voici une façon très simple de faire ressortir la saveur des mini-légumes.

INGRÉDIENTS

Pour 6 personnes

1 kg • 2 1/4 lb de mini-légumes divers,
    aubergines, oignons ou échalotes,
    courgettes, maïs doux et champignons
    de Paris par exemple
1 poivron rouge égrené
    et coupé en gros morceaux
1 à 2 gousses d'ail finement hachées
15 à 30 ml • 1 à 2 cuil. à table d'huile d'olive
30 ml • 2 cuil. à table d'un mélange
    d'herbes aromatiques fraîches hachées
225 g • 8 oz de tomates cerises
125 g • 4 oz • 1 tasse de mozzarella
    grossièrement râpée
sel et poivre noir fraîchement moulu
olives noires pour garnir (facultatif)

1 Préchauffez le four à 220°C • 425°F. Coupez les aubergines et les oignons ou échalotes en deux dans le sens de la longueur.

2 Mettez les mini-légumes, le poivron rouge et l'ail dans un plat à gratin. Salez, poivrez, arrosez d'un filet d'huile d'olive. Mélangez pour que tous les légumes soient bien assaisonnés. Faites cuire au four 20 minutes, jusqu'à ce que les bords commencent à dorer, en remuant une fois.

3 Incorporez les herbes, les tomates et couvrez le tout de mozzarella. Remettez au four 5 à 10 minutes de plus, jusqu'à ce que le fromage ait fondu et qu'il commence à bouillonner. Servez immédiatement, éventuellement garni d'olives noires.

Choux de Bruxelles sautés à la chinoise

Pour changer des choux de Bruxelles cuits à la vapeur et servis avec une noisette de beurre, essayez cette délicieuse recette chinoise.

INGRÉDIENTS

Pour 4 personnes

450 g • 1 lb de choux de Bruxelles

5 ml • 1 cuil. à thé d'huile de sésame
ou de tournesol

2 oignons nouveaux émincés

2.5 ml • 1/2 cuil. à thé de poudre cinq-épices

15 ml • 1 cuil. à table de sauce de soja claire

1 Triez les choux de Bruxelles, puis émincez-les finement avec un couteau tranchant ou dans un mixer.

2 Chauffez l'huile et ajoutez les choux et les oignons nouveaux. Faites sauter le tout 2 minutes, sans laisser roussir les légumes.

3 Incorporez la poudre cinq-épices et la sauce de soja, puis poursuivez la cuisson sans cesser de remuer pendant 2 à 3 minutes, jusqu'à ce que les légumes soient tendres. Servez chaud, en accompagnement d'autres mets chinois.

Choux de Bruxelles aux marrons

Voici un plat de légumes idéal pour un repas de fête, que vous pourrez servir à Noël par exemple.

INGRÉDIENTS

Pour 4 à 6 personnes

225 g • 8 oz de châtaignes

150 ml • 4 oz • ¹/₂ tasse de lait

500 g • 1¹/₄ lb • 4 tasses de petits choux de Bruxelles bien tendres

25 g • 1 oz • 2 cuil. à table de beurre

1 échalote finement hachée

30 à 45 ml • 2 à 3 cuil. à table de vin blanc sec ou d'eau

1 Avec un petit couteau, faites une entaille en forme de croix à la base de chaque châtaigne. Portez une casserole d'eau à ébullition, puis mettez les châtaignes à blanchir 6 à 8 minutes. Retirez du feu.

2 Sortez quelques châtaignes de la casserole avec une écumoire, et laissez les autres dans l'eau jusqu'à ce que vous soyez prêt à les peler. Avant que les châtaignes refroidissent, épluchez-les avec un couteau pour éliminer leur enveloppe extérieure, puis retirez la peau. Procédez ainsi avec les châtaignes restantes.

3 Rincez la casserole, puis remettez-y les châtaignes pelées et versez le lait. Complétez avec suffisamment d'eau pour couvrir complètement les châtaignes. Faites frémir à feu moyen 12 à 15 minutes, jusqu'à ce que les châtaignes soient tendres mais ne s'écrasent pas. Égouttez-les et réservez.

4 Retirez toute feuille flétrie ou jaunie des choux de Bruxelles, puis coupez la base en veillant à laisser un petit bout pour éviter que les feuilles ne se détachent.

5 Dans une grande poêle à fond épais, faites fondre le beurre à feu moyen. Ajoutez l'échalote hachée et faites-la revenir 1 à 2 minutes, jusqu'à ce qu'elle ramollisse, puis mettez les choux de Bruxelles ainsi que le vin ou l'eau. Couvrez et faites cuire le tout à feu moyen pendant 6 à 8 minutes, en secouant la poêle et en remuant de temps en temps. Rajoutez un peu d'eau en cours de cuisson si besoin est.

6 Incorporez les châtaignes pochées en mélangeant délicatement le tout, puis couvrez et poursuivez la cuisson 2 à 3 minutes de plus, jusqu'à ce que les choux et les châtaignes soient bien tendres.

Aubergines sautées à la mode du Sichuan

Ce plat assez relevé porte aussi en Chine le nom d'« aubergines parfumées au poisson », parce que ce légume y est cuisiné avec des arômes souvent employés dans les préparations à base de poisson.

INGRÉDIENTS

Pour 4 personnes

2 petites aubergines

5 ml • 1 cuil. à thé de sel

3 piments rouges séchés

huile d'arachide pour la friture

3 à 4 gousses d'ail finement hachées

1 morceau de gingembre frais d'1 cm •
   $^1/_2$ pouce de long finement haché

4 oignons nouveaux coupés en morceaux
   de 2,5 cm • 1 pouce de long (le blanc et
   le vert séparés)

15 ml • 1 cuil. à table d'alcool de riz
   chinois ou de porto sec

15 ml • 1 cuil. à table de sauce de soja claire

5 ml • 1 cuil. à thé de sucre

1 bonne pincée de grains de poivre
   du Sichuan grillés et pilés

15 ml • 1 cuil. à table de vinaigre de riz chinois

5 ml • 1 cuil. à thé d'huile de sésame

1 Coupez les aubergines en morceaux de 4 cm • 1$^1/_2$ pouce de large et de 8 cm • 3 pouces de long environ. Mettez-les dans une passoire et saupoudrez-les de sel. Laissez-les dégorger ainsi 30 minutes, puis rincez-les abondamment sous l'eau froide. Séchez-les enfin avec de l'essuie-tout.

2 Pendant ce temps, faites tremper les piments dans de l'eau tiède 15 minutes. Égouttez-les, puis coupez chaque piment en quatre et jetez les graines.

3 Chauffez à 180°C • 350°F un wok à moitié rempli d'huile. Faites frire les aubergines jusqu'à ce qu'elles soient bien dorées, puis égouttez-les sur de l'essuie-tout. Gardez un peu d'huile dans le wok, réchauffez-la et faites-y revenir l'ail, le gingembre et le blanc des oignons nouveaux.

4 Faites-les sauter 30 secondes, puis ajoutez les aubergines et remuez. Versez ensuite l'alcool de riz ou le porto, la sauce de soja, le sucre, les grains de poivre pilés et le vinaigre de riz. Faites revenir le tout pendant 1 à 2 minutes. Arrosez enfin d'un filet d'huile de sésame et garnissez avec le vert des oignons nouveaux. Servez immédiatement.

Épinards chinois sautés à la sauce de soja

Ici, les légumes sont sautés et servis avec de la sauce de soja. Voici une recette simple et très rapide qui fera un accompagnement original.

INGRÉDIENTS

Pour 3 à 4 personnes

450 g • 1 lb d'épinards chinois

30 ml • 2 cuil. à table d'huile d'arachide

15-30 ml • 1-2 cuil. à table de sauce à la prune

2 Chauffez un wok, puis répartissez l'huile sur le fond du wok en inclinant celui-ci de tous les côtés.

3 Ajoutez les légumes et faites-les sauter 2 à 3 minutes, jusqu'à ce qu'ils aient légèrement doré.

4 Versez la sauce à la prune et poursuivez la cuisson encore quelques secondes, jusqu'à ce que les légumes soient cuits mais encore croquants. Servez immédiatement.

1 Jetez toutes les feuilles jaunies et les côtes abîmées des épinards. Coupez-les en morceaux.

VARIANTE

Vous pouvez remplacer les épinards chinois par du brocoli chinois, également connu sous le nom cantonais de « choi sam ». Ce légume a des feuilles vertes et de minuscules fleurs jaunes, que l'on mange avec les feuilles et les côtes. On le trouve dans les magasins d'alimentation asiatiques.

Petits oignons à l'aigre-douce

*Préparés selon cette recette,
les petits oignons doux ou grelots
constituent un accompagnement
original et très parfumé.*

INGRÉDIENTS

Pour 6 personnes

450 g • 1 lb de petits oignons épluchés
50 ml • 2 oz • ¼ tasse de vinaigre de vin
50 ml • 3 cuil. à table d'huile d'olive
40 g • 3 cuil. à table de sucre en poudre
45 ml • 3 cuil. à table de concentré de tomates
1 feuille de laurier
2 brins de persil frais
65 g • 2½ oz • ½ tasse de raisins secs
sel et poivre noir fraîchement moulu

1 Mettez tous les ingrédients dans une casserole avec 300 ml • 1¼ tasses d'eau. Portez à ébullition, puis laissez frémir doucement, sans couvrir, pendant 45 minutes, jusqu'à ce que les oignons soient bien tendres et que la plus grande partie du liquide se soit évaporée.

2 Retirez la feuille de laurier et le persil, vérifiez l'assaisonnement, puis transférez les oignons dans un plat. Servez à température ambiante.

Épinards aux raisins secs et aux pignons

Les raisins secs se marient bien avec les pignons. Ils sont ici mélangés à des feuilles d'épinards et des croûtons, et le contraste de consistance des différents ingrédients en fait un accompagnement délicieux.

INGRÉDIENTS

Pour 4 personnes

50 g • 2 oz • 1/3 tasse de raisins secs

1 tranche épaisse de pain bien croustillant

45 ml • 3 cuil. à table d'huile d'olive

25 g • 1 oz • 1/3 tasse de pignons

500 g • 11/4 lb de petites feuilles d'épinards bien tendres

2 gousses d'ail pressées

sel et poivre noir fraîchement moulu

1 Mettez les raisins secs dans un bol et couvrez-les d'eau bouillante. Laissez-les gonfler 10 minutes, puis égouttez-les.

2 Coupez le pain en dés et retirez la croûte. Chauffez 30 ml • 2 cuil. à table d'huile et faites dorer les morceaux de pain. Égouttez-les.

3 Faites chauffer le reste d'huile dans la poêle et mettez à revenir les pignons jusqu'à ce qu'ils commencent à dorer. Ajoutez les épinards et l'ail, puis faites sauter le tout rapidement, en remuant jusqu'à ce que les épinards soient fondants.

4 Incorporez les raisins en mélangeant le tout, puis salez et poivrez. Transférez dans un plat préchauffé, parsemez de croûtons dorés et servez bien chaud.

VARIANTE

Vous pouvez remplacer les épinards par de la carde ou des blettes. Dans ce cas, prolongez un peu la cuisson.

Beignets de navets sur lit d'épinards

La friture fait ressortir la saveur douce et subtile des navets, que complète à merveille l'assaisonnement aux noix de la salade d'épinards.

INGRÉDIENTS

Pour 4 personnes

2 gros navets

115 g • 4 oz • 1 tasse de farine

1 œuf, blanc et jaune séparés

120 ml • 4 oz • 1¹/₂ tasse de lait

125 g • 4 oz de petites feuilles d'épinards lavées et séchées

30 ml • 2 cuil. à table d'huile d'olive

15 ml • 1 cuil. à table d'huile de noix

15 ml • 1 cuil. à table de vinaigre de xérès

huile pour la friture

15 ml • 1 cuil. à table de noix grossièrement hachées

sel, poivre noir fraîchement moulu et piment de Cayenne

1 Épluchez les navets, portez à ébullition une casserole d'eau salée et faites-les blanchir pendant 10 à 15 minutes, jusqu'à ce qu'ils soient tendres mais ne s'écrasent absolument pas. Égouttez-les, laissez-les refroidir puis coupez-les en biais en morceaux de 5 cm • 2 pouces de long sur 5 mm • ¹/₄ pouce à 1 cm • ¹/₂ pouce de large.

2 Versez la farine en fontaine dans une terrine. Ajoutez-y le jaune d'œuf et mélangez à la fourchette. Versez le lait en l'incorporant au mélange farine-œuf. Assaisonnez avec le sel, le poivre et le piment de Cayenne, puis fouettez jusqu'à ce que la pâte soit bien homogène.

3 Mettez les feuilles d'épinards dans un saladier. Mélangez les 2 sortes d'huile et le vinaigre, salez et poivrez.

4 Au moment de servir, montez le blanc d'œuf en neige pas très ferme, puis incorporez-le à la pâte préparée plus tôt. Chauffez l'huile pour la friture.

5 Fouettez vigoureusement la vinaigrette, puis ajoutez-la à la salade d'épinards et mélangez bien. Disposez les feuilles sur 4 assiettes et éparpillez dessus les noix hachées.

6 Plongez les morceaux de navets dans la pâte, puis faites frire ces beignets jusqu'à ce qu'ils soient dorés. Égouttez-les sur de l'essuie-tout et gardez-les au chaud. Disposez les beignets sur le lit d'épinards et servez.

Croquettes de navets et de châtaignes

Le parfum doux et fruité des châtaignes se marie à merveille avec la saveur sucrée mais plus rustique des navets. Les châtaignes fraîches devront être épluchées, tandis que les châtaignes surgelées, presque aussi bonnes, sont prêtes à l'emploi.

INGRÉDIENTS

Pour 10 à 12 croquettes

450 g • 1 lb de navets coupés en petits morceaux
125 g • 4 oz de châtaignes surgelées
25 g • 1 oz • 2 cuil. à table de beurre
1 gousse d'ail pressée
15 ml • 1 cuil. à table de coriandre fraîche hachée
1 œuf battu
40 à 50 g • 1 1/2 à 2 oz de miettes de pain frais
huile végétale pour la friture
sel et poivre noir fraîchement moulu
quelques brins de coriandre fraîche
   pour garnir

1 Mettez les navets dans une casserole d'eau. Portez à ébullition, couvrez et laissez frémir pendant 15 à 20 minutes.

2 Faites bouillir les châtaignes surgelées dans une casserole d'eau, puis laissez frémir 8 à 10 minutes. Égouttez-les, mettez-les dans une terrine et écrasez-les grossièrement.

5 Chauffez un peu d'huile dans une poêle et faites frire les croquettes 3 à 4 minutes, jusqu'à ce qu'elles soient bien croustillantes, en les retournant fréquemment pour qu'elles dorent uniformément.

6 Égouttez les croquettes sur de l'essuie-tout, pour éliminer l'excédent d'huile, et servez-les immédiatement, garnies avec quelques brins de coriandre fraîche.

3 Faites fondre le beurre dans une casserole et mettez à revenir l'ail 30 secondes. Égouttez les navets et écrasez-les avec le beurre d'ail. Ajoutez la purée de châtaignes et la coriandre hachée, salez et poivrez.

4 Prenez 15 ml • 1 cuil. à table de cette pâte et confectionnez une petite croquette de 7,5 cm • 3 pouces de long environ. Plongez-la dans l'œuf battu et roulez-la dans les miettes de pain. Procédez ainsi jusqu'à épuisement de la pâte.

Mini-légumes sautés au piment et au sésame

On trouve aujourd'hui une grande variété de mini-légumes dans le commerce. Cette recette toute simple fait honneur à leur saveur délicate. Servez-les en accompagnement d'un plat principal ou même en guise d'entrée légère.

INGRÉDIENTS

Pour 4 à 6 personnes

10 pommes de terre nouvelles
   coupées en deux
12 à 14 mini-carottes
12 à 14 mini-courgettes
30 ml • 2 cuil. à table d'huile de maïs
15 petits oignons
30 ml • 2 cuil. à table de sauce pimentée
5 ml • 1 cuil. à thé de pulpe d'ail
5 ml • 1 cuil. à thé de pulpe de gingembre
5 ml • 1 cuil. à thé de sel
400 g • 14 oz de pois chiches **en boîte égouttés**
10 tomates cerises
5 ml • 1 cuil. à thé de piments rouges
   séchés écrasés et 30 ml • 2 cuil. à table
   de graines de sésame pour garnir

1 Portez une casserole d'eau salée à ébullition et mettez à cuire les pommes de terre nouvelles et les mini-carottes. Au bout de 12 à 15 minutes, ajoutez les mini-courgettes et faites blanchir encore 5 minutes, jusqu'à ce que tous les légumes soient tendres.

2 Égouttez bien les légumes et réservez-les.

3 Chauffez l'huile dans une poêle profonde à fond arrondi ou dans un wok et faites revenir les petits oignons jusqu'à ce qu'ils soient bien dorés. Baissez le feu, puis ajoutez la sauce pimentée, l'ail, le gingembre et le sel en veillant à ne pas faire brûler le mélange.

4 Incorporez les pois chiches et faites-les sauter à feu moyen jusqu'à ce que le liquide ait été absorbé.

5 Ajoutez les légumes blanchis et les tomates cerises, et laissez rissoler le tout à feu moyen, en remuant, pendant 2 minutes environ.

6 Garnissez avec les piments rouges écrasés et les graines de sésame. Servez.

VARIANTE

En variant l'assortiment de légumes, cette recette permet de préparer de délicieux accompagnements. Essayez des mini-épis de maïs, des haricots verts, des pois gourmands, des gombos ou des choux-fleurs.

Légumes nouveaux sautés

*Un assortiment très coloré de
légumes nouveaux pleins
de douceur et de fraîcheur.*

INGRÉDIENTS

Pour 4 personnes

15 ml • 1 cuil. à table d'huile d'arachide

1 gousse d'ail émincée

1 morceau de gingembre frais de 2,5 cm •
   1 pouce de long, finement haché

125 g • 4 oz de mini-carottes

125 g • 4 oz de mini-pâtissons

125 g • 4 oz de mini-épis de maïs

125 g • 4 oz de haricots verts équeutés

125 g • 4 oz de petits pois gourmands équeutés

125 g • 4 oz de jeunes asperges coupées en
   morceaux de 7,5 cm • 3 pouces de long

8 oignons nouveaux coupés en morceaux
   de 5 cm • 2 pouces de long

125 g • 4 oz de tomates cerises

Pour la sauce

le jus de 2 citrons verts

15 ml • 1 cuil. à table de miel liquide

15 ml • 1 cuil. à table de sauce de soja

5 ml • 1 cuil. à thé d'huile de sésame

2 Ajoutez l'ail et le gingembre frais
et faites-les revenir à feu vif pendant 1 minute.

5 Mélangez les ingrédients de la
sauce et versez-la dans la poêle.

3 Mettez les carottes, les pâtissons,
les mini-maïs et les haricots à
sauter pendant 3 à 4 minutes.

6 Couvrez et poursuivez la cuisson
pendant 2 à 3 minutes, jusqu'à ce
que les légumes soient tendres mais
encore croquants.

1 Chauffez l'huile d'arachide dans
un wok ou une grande poêle.

4 Incorporez les pois gourmands,
les asperges, les oignons nouveaux et les tomates cerises, et laissez
revenir 1 à 2 minutes supplémentaires.

LE CONSEIL DU CHEF

Comme il est très rapide de
faire sauter des légumes, nous
vous conseillons de préparer
ce plat à la dernière minute.

Nouilles aux germes de soja et aux asperges

Dans cette recette très vite préparée, le moelleux des nouilles sautées contraste à merveille avec le croquant des germes de soja et des asperges.

Pour 2 personnes

125 g • 4 oz de nouilles chinoises aux œufs

60 ml • 4 cuil. à table d'huile végétale

1 petit oignon haché

1 morceau de gingembre frais
   de 2,5 cm • 1 pouce de long pelé et râpé

2 gousses d'ail pressées

175 g • 6 oz de pointes d'asperges

125 g • 4 oz de germes de soja

4 oignons nouveaux émincés

45 ml • 3 cuil. à table de sauce de soja

sel et poivre noir fraîchement moulu

1 Portez une casserole d'eau salée à ébullition. Plongez-y les nouilles et faites-les cuire 2 à 3 minutes, jusqu'à ce qu'elles soient bien tendres. Égouttez-les, puis ajoutez 30 ml • 2 cuil à table d'huile et mélangez bien.

2 Chauffez le reste d'huile dans un wok ou une poêle jusqu'à ce qu'elle soit très chaude. Mettez l'oignon, le gingembre et l'ail, et faites-les revenir pendant 2 à 3 minutes.

3 Ajoutez les nouilles et les germes de soja, et faites sauter le tout pendant 2 minutes.

4 Incorporez les oignons nouveaux et la sauce de soja. Salez, poivrez, en veillant à ne pas mettre trop de sel car la sauce de soja en contient déjà beaucoup. Faites sauter 1 minute de plus et servez immédiatement.

Chips de légumes au sel pimenté

On peut couper toutes sortes de légumes-racines en fines rondelles et les faire frire. Ces « chips » sont parfaites pour accompagner un repas oriental ou bien servies en amuse-gueules.

INGRÉDIENTS

Pour 4 à 6 personnes

1 carotte
2 navets
2 betteraves crues
1 patate douce
huile d'arachide pour la friture
1 bonne pincée de piment de Cayenne
5 ml • 1 cuil. à thé de fleur de sel

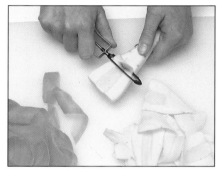

1 Épluchez tous les légumes, puis coupez la carotte et les navets en longs rubans fins, et la betterave et la patate douce en rondelles très fines. Séchez-les sur de l'essuie-tout.

LE CONSEIL DU CHEF

Pour gagner du temps, vous pouvez couper les légumes à l'aide d'un mixer muni d'un disque à émincer ou bien avec une mandoline.

2 Remplissez à demi un wok avec de l'huile et chauffez-la à 180°C • 350°F. En procédant par lots, faites frire les légumes pendant 2 à 3 minutes, jusqu'à ce qu'ils soient dorés et bien croustillants. Retirez-les de l'huile et égouttez-les sur de l'essuie-tout.

3 Mettez le piment de Cayenne et la fleur de sel dans un mortier et pilez-les ensemble grossièrement.

4 Empilez les « chips » de légumes sur un plat et saupoudrez-les de sel pimenté.

Légumes à la provençale

Tous les parfums de la Méditerranée ensoleillent ce délicieux plat de légumes.

INGRÉDIENTS

Pour 6 personnes

1 oignon émincé
2 poireaux émincés
2 gousses d'ail pressées
1 poivron rouge égrené et émincé
1 poivron vert égrené et émincé
1 poivron jaune égrené et émincé
350 g • 12 oz de courgettes coupées en rondelles
225 g • 8 oz de champignons de Paris émincés
400 g • 14 oz de tomates concassées en boîte
30 ml • 2 cuil. à table de porto rouge
30 ml • 2 cuil. à table de concentré de tomates
15 ml • 1 cuil. à table de ketchup
400 g • 14 oz de pois chiches en boîte
125 g • 4 oz • 1 tasse d'olives noires
45 ml • 3 cuil. à table d'herbes de Provence
   fraîches hachées
sel et poivre noir fraîchement moulu
herbes de Provence fraîches hachées
   pour garnir

1 Mettez l'oignon, les poireaux, l'ail, les poivrons, les courgettes et les champignons dans une grande casserole.

2 Versez les tomates, le porto, le concentré de tomates et le ketchup, et mélangez bien.

3 Rincez les pois chiches, égouttez-les et ajoutez-les dans la casserole.

4 Couvrez, portez à ébullition, puis laissez frémir doucement pendant 20 à 30 minutes, en remuant de temps en temps, jusqu'à ce que les légumes soient cuits et tendres, mais qu'ils ne s'écrasent pas.

5 Retirez le couvercle et augmentez légèrement le feu pendant les 10 dernières minutes de cuisson si vous souhaitez épaissir la sauce.

6 Ajoutez les olives et les herbes, salez et poivrez. Servez aussitôt, garni d'herbes fraîches hachées.

LE CONSEIL DU CHEF

Ce plat est tout aussi délicieux froid que chaud. Vous pouvez donc le préparer à l'avance pour un pique-nique par exemple, et le conserver au réfrigérateur. Servez-le alors avec du yaourt nature ou un tzatziki (salade grecque au concombre et au fromage blanc) bien rafraîchissant.

Pois chiches épicés

En Inde, il existe de multiples façons d'accommoder les pois chiches. Ici, le tamarin donne à ce plat épicé un parfum délicieusement piquant.

INGRÉDIENTS

Pour 4 personnes

225 g • 8 oz • 1¼ tasses de pois chiches secs

50 g • 2 oz de pulpe de tamarin

120 ml • 4 oz • ½ tasse d'eau bouillante

45 ml • 3 cuil. à table d'huile de maïs

2.5 ml • ½ cuil. à thé de graines de cumin

1 oignon finement haché

2 gousses d'ail pressées

1 morceau de gingembre frais
   de 2,5 cm • 1 pouce de long pelé et râpé

1 piment vert frais finement haché

5 ml • 1 cuil. à thé de cumin en poudre

5 ml • 1 cuil. à thé de coriandre en poudre

1 bonne pincée de curcuma en poudre

2.5 ml • ½ cuil. à thé de sel

225 g • 8 oz de tomates pelées
   et finement hachées

2.5 ml • ½ cuil. à thé de garam masala

piments frais hachés et oignon haché
   pour garnir

2 Égouttez les pois chiches et mettez-les dans une grande casserole avec deux fois leur volume d'eau froide. Portez à ébullition, puis laissez bouillir à gros bouillons 10 minutes. Retirez l'écume qui se forme, puis couvrez et laissez cuire à feu doux 1 heure et demie à 2 heures, jusqu'à ce que les pois chiches soient tendres.

4 Chauffez l'huile dans une grande casserole et faites sauter les graines de cumin 2 minutes, jusqu'à ce qu'elles éclatent. Ajoutez l'oignon, l'ail, le gingembre et le piment, et laissez revenir 5 minutes.

3 Pendant ce temps, écrasez le tamarin et faites-le tremper dans de l'eau bouillante 15 minutes environ. Passez ensuite le tamarin au chinois afin de retirer les cailloux et fibres éventuels.

5 Incorporez le cumin, la coriandre, le curcuma et le sel, et faites rissoler le tout encore 3 à 4 minutes. Ajoutez les tomates et la pulpe de tamarin, portez à ébullition, puis laissez frémir pendant 5 minutes.

1 Mettez les pois chiches dans un saladier et couvrez-les abondamment d'eau froide. Laissez-les tremper toute la nuit.

LE CONSEIL DU CHEF

Pour gagner du temps, préparez le double de pulpe de tamarin et congelez-la dans un bac à glaçons. Vous pourrez la conserver ainsi pendant 2 mois.

6 Versez les pois chiches et le garam masala. Couvrez et laissez cuire à feu doux pendant 45 minutes. Garnissez de piments et d'oignon hachés.

Frijoles

Servi avec des tortillas et un chili végétarien, ce plat traditionnel mexicain est un vrai régal.

INGRÉDIENTS

Pour 6 à 8 personnes

350 g • 12 oz • 1¼ à 1½ tasses de haricots
    rouges ou noirs séchés, triés et rincés

2 oignons finement hachés

2 gousses d'ail hachées

1 feuille de laurier

1 petit piment vert frais (ou plus)

30 ml • 2 cuil. à table d'huile de maïs

2 tomates pelées, égrenées et hachées

sel

quelques feuilles de laurier frais
    pour garnir

1 Mettez les haricots dans une casserole et recouvrez-les de 2,5 cm • 1 pouce d'eau froide.

2 Ajoutez une moitié d'oignon et d'ail, la feuille de laurier et le ou les piments. Portez à ébullition et faites cuire à gros bouillons 10 minutes. Mettez ensuite les haricots et l'eau de cuisson dans une cocotte en terre ou une grande casserole, couvrez et poursuivez la cuisson à feu doux pendant 30 minutes. Ajoutez de l'eau bouillante si le mélange commence à sécher.

3 Lorsque les haricots commencent à se rider, mettez 15 ml • 1 cuil. à table d'huile de maïs et poursuivez la cuisson pendant une demi-heure, jusqu'à ce qu'ils soient tendres. Salez à votre goût, puis laissez cuire encore 30 minutes, en évitant de rajouter de l'eau.

4 Retirez les haricots du feu. Chauffez le reste d'huile dans une petite poêle, et faites sauter l'oignon et l'ail restants jusqu'à ce que l'oignon ait ramolli. Incorporez les tomates et poursuivez la cuisson pendant encore quelques minutes.

5 Prélevez 45 ml • 3 cuil. à table de haricots de la cocotte et ajoutez-les aux tomates. Écrasez le tout, puis versez cette pâte dans les haricots pour épaissir le jus. Remettez la cocotte sur le feu pour réchauffer le plat si besoin est. Servez les frijoles dans des bols individuels et garnissez avec des feuilles de laurier frais.

Petits pois à la crème et aux oignons grelots

L'idéal est d'employer des petits pois et des oignons grelots frais. Si vous pouvez prendre des petits pois surgelés, évitez les oignons surgelés car ils sont généralement insipides. Vous pouvez aussi remplacer les grelots par des oignons nouveaux dont vous n'utiliserez que le blanc.

INGRÉDIENTS

Pour 4 personnes

175 g • 6 oz d'oignons grelots

15 g • ¹/₂ oz • 1 cuil. à table de beurre

900 g • 2 lb de petits pois frais (ou environ 350 g • 12 oz de pois écossés ou surgelés)

120 ml • ¹/₂ tasse d'eau

150 ml • ²/₃ tasse de crème fraîche épaisse

15 g • ¹/₂ oz • 2 cuil. à table de farine

10 ml • 2 cuil. à thé de persil frais haché

15-30 ml • 1-2 cuil. à table de jus de citron (facultatif)

sel et poivre noir fraîchement moulu

1 Épluchez les grelots et coupez-les en deux si besoin est. Faites fondre le beurre dans une cocotte et mettez à revenir les oignons pendant 5 à 6 minutes à feu moyen, jusqu'à ce qu'ils commencent à brunir.

2 Ajoutez les petits pois et faites sauter le tout pendant quelques minutes. Versez l'eau et portez à ébullition. Couvrez ensuite à demi et laissez cuire à petit feu pendant une dizaine de minutes, jusqu'à ce que les petits pois et les oignons soient tendres. Il doit rester un fond d'eau dans la casserole : rajoutez-en si besoin est, ou bien, s'il y en a trop, enlevez le couvercle et augmentez le feu pour que le liquide s'évapore.

3 Avec un petit fouet, mélangez la crème et la farine. Retirez la cocotte du feu et incorporez le mélange crème-farine ainsi que le persil haché. Salez et poivrez.

4 Poursuivez la cuisson pendant 3 à 4 minutes à feu doux, jusqu'à ce que la sauce épaississe. Vérifiez l'assaisonnement et ajoutez si vous le souhaitez un peu de jus de citron pour relever le tout.

Chou rouge au porto et au vin rouge

*Un plat épicé et aigre-doux
à base de chou rouge dans lequel
on apprécie le croquant des poires
et des noix.*

INGRÉDIENTS

Pour 6 personnes

15 ml • 1 cuil. à table d'huile de noix
1 oignon émincé
2 étoiles de badiane entières
5 ml • 1 cuil. à thé de cannelle en poudre
1 pincée de clous de girofle pilés
450 g • 1 lb de chou rouge finement râpé
25 g • 1 oz • 2 cuil. à table de sucre roux
45 ml • 3 cuil. à table de vinaigre de vin rouge
300 ml • 1¼ tasses de vin rouge
150 ml • ²⁄₃ tasse de porto
2 poires coupées en dés d'1 cm • ½ pouce de côté
125 g • 4 oz • ½ tasse de raisins secs
125 g • 4 oz • ½ tasse de cerneaux de noix
sel et poivre noir fraîchement moulu

1 Chauffez l'huile dans une grosse cocotte. Mettez l'oignon à revenir doucement 5 minutes, jusqu'à ce qu'il ait ramolli.

2 Ajoutez la badiane, la cannelle, les clous de girofle et le chou, et faites cuire le tout pendant 3 minutes de plus environ.

LE CONSEIL DU CHEF

❧

Vous pouvez également faire braiser ce plat à four doux pendant une heure et demie.

3 Incorporez le sucre, le vinaigre, le vin rouge et le porto. Couvrez et laissez cuire à feu doux 10 minutes, en remuant de temps en temps.

4 Ajoutez les dés de poires et les raisins secs, et poursuivez la cuisson pendant encore une dizaine de minutes, jusqu'à ce que le chou soit tendre. Salez, poivrez, incorporez les cerneaux de noix et servez.

Gratin de betterave rouge et de céleri rave

Les belles rondelles rubis de la betterave et l'ivoire du céleri-rave s'harmonisent parfaitement dans ce gratin léger qui accompagne toutes sortes de plats principaux.

INGRÉDIENTS

Pour 6 personnes

350 g • 12 oz de betterave rouge crue

350 g • 12 oz de céleri-rave cru

4 brins de thym frais hachés

6 baies de genièvre écrasées

120 ml • ½ tasse de jus d'orange frais

120 ml • ½ tasse de bouillon de légumes

sel et poivre noir fraîchement moulu

1 Préchauffez le four à 190°C • 375°F. Pelez la betterave et détaillez-la en très fines rondelles. Coupez le céleri-rave en quatre, pelez-le et émincez-le très finement.

2 Remplissez un plat à gratin ou une poêle en fonte de 25 cm • 10 pouces de diamètre en alternant les couches de betterave rouge et de céleri-rave, que vous parsemez de thym et de baies de genièvre. Salez et poivrez entre chaque couche.

3 Mélangez le jus d'orange avec le bouillon de légumes et versez le liquide sur les légumes. Mettez le plat sur une plaque de cuisson et portez à ébullition. Laissez bouillir pendant 2 minutes.

4 Couvrez le plat de papier d'aluminium et enfournez-le 15 à 20 minutes. Retirez ensuite le papier d'aluminium et augmentez le four jusqu'à 200°C • 400°F. Poursuivez la cuisson pendant 10 minutes de plus.

Haricots verts et flageolets à l'ail

La saveur délicate des flageolets se joint à celle de l'ail pour parfumer cet accompagnement très simple.

Pour 4 personnes

225 g • 8 oz • 1¼ tasses de flageolets frais

15 ml • 1 cuil. à table d'huile d'olive

25 g • 1 oz • 2 cuil. à table de beurre

1 oignon finement haché

1 à 2 gousses d'ail pressées

3 à 4 tomates pelées et hachées

350 g • 12 oz de haricots verts équeutés
    et coupés en morceaux

150 ml • ⅔ tasse de vin blanc

150 ml • ⅔ tasse de bouillon de légumes

30 ml • 2 cuil. à table de persil frais haché

sel et poivre noir fraîchement moulu

1 Mettez les flageolets dans une grande casserole d'eau, portez à ébullition, puis faites-les cuire doucement pendant 3/4 d'heure à 1 heure, jusqu'à ce qu'ils soient tendres.

2 Chauffez l'huile et le beurre dans une grande poêle et faites revenir l'ail et l'oignon 3 à 4 minutes, jusqu'à ce qu'ils aient ramolli.

3 Ajoutez les tomates et poursuivez la cuisson à feu doux, jusqu'à ce qu'elles fondent.

4 Incorporez les flageolets, puis les haricots verts, le vin et le bouillon de légumes. Salez légèrement. Remuez, couvrez et laissez cuire à petit feu pendant 5 à 10 minutes.

5 Augmentez le feu pour que le liquide s'évapore, puis parsemez de persil. Rajoutez éventuellement un peu de sel et poivrez.

Haricots de Lima à la sauce tomate pimentée

Ce plat est tout à fait adapté pour réchauffer vos convives les soirs d'hiver.

INGRÉDIENTS

Pour 4 personnes

450 g • 1 lb de haricots de Lima verts
  ou de fèves, décongelés si vous les avez
  choisis surgelés

30 ml • 2 cuil. à table d'huile d'olive

1 oignon finement haché

2 gousses d'ail hachées

350 g • 12 oz de tomates pelées, égrenées
  et hachées

1 ou 2 piments jalapeño en boîte,
  égouttés, égrenés et hachés

sel

coriandre fraîche hachée pour garnir

1 Faites cuire les haricots ou les fèves dans une casserole d'eau bouillante 15 à 20 minutes, jusqu'à ce qu'ils soient tendres. Égouttez-les et réservez-les dans la casserole à couvert.

2 Chauffez l'huile d'olive dans une poêle et faites revenir l'oignon et l'ail jusqu'à ce que l'oignon soit ramolli mais non doré. Ajoutez les tomates et faites cuire le tout jusqu'à ce que la sauce épaississe.

3 Incorporez les piments et poursuivez la cuisson 1 à 2 minutes. Salez.

4 Versez la sauce sur les haricots et vérifiez qu'ils sont encore chauds. Sinon, remettez le tout dans la poêle et réchauffez à feu doux. Transférez dans un plat préchauffé, garnissez avec la coriandre fraîche et servez.

Courgettes aux tomates séchées

Les tomates séchées au soleil ont une saveur douce et concentrée qui se marie bien avec celle des courgettes.

Pour 6 personnes

10 tomates séchées, déshydratées ou
    conservées dans de l'huile et égouttées

200 ml • 6 oz • ³/₄ tasse d'eau tiède

75 ml • 5 cuil. à table d'huile d'olive

1 gros oignon finement émincé

2 gousses d'ail finement hachées

1 kg • 2¹/₄ lb de courgettes coupées
    en fins bâtonnets

sel et poivre noir fraîchement moulu

1 Coupez les tomates séchées en fines lamelles. Mettez-les dans un bol avec l'eau tiède et laissez-les tremper pendant 20 minutes.

2 Dans une grande poêle ou casserole, chauffez l'huile et faites revenir l'oignon à feu doux ou moyen, jusqu'à ce qu'il ramollisse sans roussir.

3 Ajoutez l'ail et les bâtonnets de courgettes. Poursuivez la cuisson 5 minutes en remuant sans cesse.

4 Incorporez les tomates et leur eau de trempage. Salez, poivrez, puis augmentez légèrement le feu. Faites cuire le tout jusqu'à ce que les courgettes soient tendres mais encore fermes. Vérifiez l'assaisonnement et servez chaud ou froid.

Gombos aux tomates

Très courants dans l'est du Bassin méditerranéen, les gombos sont assez rares en France. Ils donnent un jus qui épaissit agréablement les sauces.

Pour 6 personnes

15 ml • 1 cuil. à table d'huile d'olive

1 oignon haché

350 g • 12 oz de petits piments rouges en bocal, égouttés

800 g • 14 oz de tomates concassées en boîte

300 g • 10 oz de gombos

30 ml • 2 cuil. à table de persil frais haché

sel et poivre noir fraîchement moulu

1 Chauffez l'huile dans une casserole à fond épais. Ajoutez l'oignon et faites-le revenir 2 à 3 minutes.

2 Hachez grossièrement les petits piments rouges et mélangez-les à l'oignon. Mettez les tomates concassées et remuez bien.

3 Étêtez les gombos et coupez-les en deux ou en quatre s'ils sont gros. Incorporez-les à la sauce tomate. Salez et poivrez abondamment.

4 Portez le tout à ébullition, puis baissez le feu, couvrez et laissez mijoter pendant 12 minutes, jusqu'à ce que les légumes soient tendres et que la sauce ait épaissi. Ajoutez le persil haché et servez immédiatement.

Carottes glacées au cidre

Cette recette est extrêmement simple à réaliser : il suffit de faire cuire les carottes à l'étuvée pour faire ressortir leur parfum, tandis que le cidre relève agréablement le tout.

INGRÉDIENTS

Pour 4 personnes

450 g • 1 lb de carottes nouvelles
25 g • 1 oz • 2 cuil. à table de beurre
15 ml • 1 cuil. à table de sucre roux
120 ml • 4 oz • ¹/₂ tasse de cidre
60 ml • 4 cuil. à table de bouillon de
    légumes ou d'eau
5 ml • 1 cuil. à thé de moutarde de Dijon
15 ml • 1 cuil. à table de persil frais haché

1 Pelez et grattez les carottes. Avec un couteau bien tranchant, détaillez-les ensuite en julienne.

LE CONSEIL DU CHEF

Si les carottes sont cuites avant que le jus ait réduit, transférez-les dans le plat, puis portez rapidement le jus à ébullition et faites-le réduire à gros bouillons de façon à obtenir une sauce épaisse. Versez-la ensuite sur les carottes et parsemez de persil haché.

2 Faites fondre le beurre dans une poêle, ajoutez les carottes et faites-les sauter 4 à 5 minutes en remuant fréquemment. Saupoudrez-les de sucre, puis poursuivez la cuisson sans cesser de remuer pendant une minute environ, jusqu'à dissolution du sucre.

3 Ajoutez le cidre et le bouillon ou l'eau, puis portez le tout à ébullition. Incorporez la moutarde, puis couvrez partiellement et laissez mijoter 10 à 12 minutes, jusqu'à ce que les carottes soient tendres. Découvrez et poursuivez la cuisson de façon à faire épaissir le jus.

4 Retirez du feu, incorporez le persil frais haché et transférez les carottes dans un plat préchauffé.

Gratin de chou-fleur et de brocoli

Une sauce au yaourt et au fromage relève agréablement cette association bicolore.

INGRÉDIENTS

Pour 4 personnes

1 petit chou-fleur (250 g • 9 oz environ)
1 petit bouquet de brocoli
   (250 g • 9 oz environ)
150 g • 5 oz • 1/2 tasse de yaourt nature
75 g • 1 tasse de cheddar ou de gruyère, râpé
5 ml • 1 cuil. à thé de moutarde à l'ancienne
30 ml • 2 cuil. à table de miettes de pain
   complet
sel et poivre noir fraîchement moulu

1 Détachez les fleurettes de chou-fleur et de brocoli, et faites-les cuire dans de l'eau bouillante légèrement salée pendant 8 à 10 minutes, jusqu'à ce qu'elles soient tendres mais encore fermes. Égouttez-les bien, puis répartissez-les dans un plat à gratin.

2 Mélangez le yaourt, le fromage râpé et la moutarde, puis salez et poivrez cette sauce et étalez-la sur le chou-fleur et le brocoli.

3 Préchauffez le gril modérément. Parsemez le gratin de miettes de pain complet, puis passez-le sous le gril jusqu'à ce qu'il soit bien doré. Servez très chaud.

LE CONSEIL DU CHEF

Lorsque vous préparez le chou-fleur et le brocoli, retirez les parties dures de la tige, puis recoupez les fleurettes en morceaux de taille régulière pour que la cuisson soit homogène.

LES ENCAS LÉGERS

Penne aux tomates fraîches

Voici un plat de pâtes léger aux saveurs très fraîches. Prenez de la mozzarella au lait de bufflonne si vous en trouvez, elle est nettement plus parfumée.

INGRÉDIENTS

Pour 4 personnes

300 g • 10 oz • 2¹/₄ tasses de penne
450 g • 1 lb de tomates olivettes ou Roma
275 g • 10 oz de mozzarella égouttée
60 ml • 4 cuil. à table d'huile d'olive
15 ml • 1 cuil. à table de vinaigre balsamique
le zeste râpé et le jus d'un citron
15 feuilles de basilic frais ciselées
sel et poivre noir fraîchement moulu
quelques feuilles de basilic frais pour garnir

3 Mélangez l'huile d'olive, le vinaigre balsamique, le zeste de citron, 15 ml • 1 cuil. à table de jus de citron et le basilic ciselé. Salez et poivrez. Ajoutez les tomates et la mozzarella et laissez mariner le tout jusqu'à la fin de la cuisson des pâtes.

4 Égouttez les pâtes et mélangez-les aux dés de tomates et de mozzarella. Servez immédiatement, garni de feuilles de basilic frais.

1 Faites cuire les pâtes dans de l'eau bouillante salée conformément aux instructions de l'emballage, jusqu'à ce qu'elles soient *al dente*.

2 Coupez les tomates en quatre et égrenez-les. Détaillez-les en petits dés. Procédez de la même façon pour la mozzarella.

Papardelle à la sauce provençale

Cette sauce à base de tomates et de légumes frais colore et parfume délicieusement les pâtes.

INGRÉDIENTS

Pour 4 personnes

2 petits oignons violets épluchés
   (sans ôter la base)
150 ml • ²/₃ tasse de bouillon de légumes
1 à 2 gousses d'ail pressées
60 ml • 4 cuil. à table de vin rouge
2 courgettes coupées en bâtonnets
1 poivron jaune égrené et émincé
400 g • 14 oz de tomates en boîte
10 ml • 2 cuil. à thé de thym frais haché
5 ml • 1 cuil. à thé de sucre en poudre
350 g • 12 oz de papardelle
sel et poivre noir fraîchement moulu
thym frais et 6 olives noires dénoyautées
   et grossièrement hachées pour garnir

3 Faites cuire les pâtes dans une grande casserole d'eau bouillante salée selon les instructions portées sur l'emballage, jusqu'à ce qu'elles soient *al dente*. Égouttez-les bien.

4 Transférez les pâtes dans un grand plat préchauffé, puis disposez les légumes dessus. Garnissez avec le thym frais et les olives noires hachées. Servez.

1 Coupez chaque oignon en huit en tranchant jusqu'à la base, afin que les morceaux ne s'effeuillent pas en cours de cuisson. Mettez-les dans une casserole avec l'ail et le bouillon. Portez à ébullition, puis couvrez et laissez frémir pendant 5 minutes, jusqu'à ce qu'ils soient tendres.

2 Ajoutez le vin rouge, les courgettes, le poivron jaune, les tomates, le thym et le sucre. Salez et poivrez. Portez à ébullition, puis laissez mijoter doucement pendant 5 à 7 minutes, en mélangeant de temps en temps. (Ne faites pas trop cuire les légumes, car ils sont bien meilleurs s'ils restent légèrement croquants.)

Fusilli aux poivrons et aux oignons

Le fait de faire griller les poivrons intensifie leur douceur naturelle et leur donne un délicieux goût fumé.

INGRÉDIENTS

Pour 4 personnes

450 g • 1 lb de poivrons rouges et jaunes
   (soit 2 gros environ)

90 ml • 6 cuil. à table d'huile d'olive

1 gros oignon rouge finement émincé

2 gousses d'ail pressées

400 g • 4 tasses de fusilli (également appelés
   « torsades ») ou autres pâtes courtes

45 ml • 3 cuil. à table de persil frais
   finement haché

sel et poivre noir fraîchement moulu

parmesan frais râpé pour servir

1 Disposez les poivrons à griller sous un gril très chaud et retournez-les de temps en temps jusqu'à ce qu'ils soient noirs et boursouflés de tous côtés. Retirez-les, mettez-les dans un sachet en papier et laissez-les reposer 5 minutes.

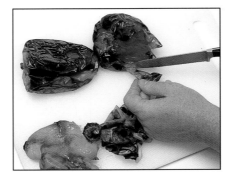

2 Pelez les poivrons, puis coupez-les en quatre. Retirez les queues et les graines, et coupez la chair en fines lamelles.

3 Chauffez l'huile d'olive dans une grande poêle. Ajoutez l'oignon et faites-le revenir à feu moyen jusqu'à ce qu'il soit translucide, soit 5 à 8 minutes. Incorporez l'ail, remuez et faites revenir le tout 2 minutes de plus.

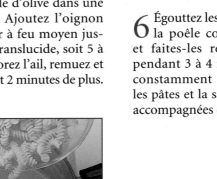

4 Portez une casserole d'eau à ébullition. Salez l'eau et faites cuire les pâtes *al dente*.

5 Pendant ce temps, ajoutez les poivrons aux oignons et mélangez en remuant délicatement. Versez environ 45 ml • 3 cuil. à table de l'eau de cuisson des pâtes. Salez et poivrez, puis incorporez le persil haché.

6 Égouttez les pâtes. Versez-les dans la poêle contenant les légumes et faites-les revenir à feu moyen pendant 3 à 4 minutes, en remuant constamment pour bien mélanger les pâtes et la sauce. Servez ces pâtes accompagnées de parmesan râpé.

LE SAVIEZ-VOUS ?

C'est Christophe Colomb qui a découvert les poivrons à Haïti, et qui les a ensuite introduits en Europe. Les gros poivrons rouges, oranges ou jaunes sont généralement plus doux et plus parfumés que les verts.

Torchietti primavera

Voici la meilleure façon de mettre en valeur les délicieux légumes nouveaux que l'on trouve au printemps.

INGRÉDIENTS

Pour 4 personnes

225 g • 8 oz de fines pointes d'asperges
    coupées en deux

125 g • 4 oz de pois gourmands équeutés

125 g • 4 oz de mini-épis de maïs entiers

225 g • 8 oz de mini-carottes entières

1 petit poivron rouge égrené et haché

8 oignons nouveaux émincés

225 g • 8 oz de torchietti

150 ml • 2/3 tasse de fromage frais type
    fromage cottage

150 ml • 2/3 tasse de yaourt nature maigre

15 ml • 1 cuil. à table de jus de citron

15 ml • 1 cuil. à table de persil frais haché

lait (facultatif)

15 ml • 1 cuil. à table de ciboulette hachée

sel et poivre noir fraîchement moulu

pain frotté avec des tomates séchées
    pour servir

3 Faites cuire les pâtes dans une grande casserole d'eau bouillante salée. Égouttez-les bien. Mettez le fromage frais, le yaourt, le jus de citron et le persil dans un mixer. Salez, poivrez, puis mixez jusqu'à ce que le mélange soit bien homogène. Allongez la sauce avec un peu de lait, si besoin est.

4 Mettez la sauce dans une grande casserole avec les pâtes et les légumes, chauffez doucement en remuant le tout délicatement. Transférez dans un plat préchauffé, parsemez de ciboulette hachée et servez accompagné de pain frotté avec des tomates séchées.

1 Faites blanchir les pointes d'asperges dans une casserole d'eau bouillante salée pendant 3 à 4 minutes. Ajoutez les pois gourmands à mi-cuisson. Égouttez et rincez les légumes à l'eau froide.

2 Faites cuire le maïs, les carottes, le poivron rouge et les oignons nouveaux de la même façon jusqu'à ce qu'ils soient tendres. Égouttez-les et rincez-les.

Penne au fenouil, au bleu et à la sauce tomate

*Le parfum anisé du fenouil se marie
à merveille avec la tomate, surtout
lorsque le tout est ensuite relevé
avec du fromage à pâte persillée.*

INGRÉDIENTS

Pour 2 personnes

1 bulbe de fenouil

250 g • 2 tasses de penne ou autres pâtes sèches

30 ml • 2 cuil. à table d'huile d'olive

1 échalote finement hachée

300 ml • 1¹/₄ tasses de passata (ou de coulis
  de tomates)

1 pincée de sucre

5 ml • 1 cuil. à thé d'origan frais haché

125 g • 4 oz de fromage à pâte persillée

sel et poivre noir fraîchement moulu

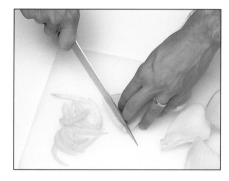

1 Coupez le bulbe de fenouil en
deux. Retirez les parties dures du
centre et de la base, puis émincez le
fenouil finement.

2 Portez une grande casserole d'eau
salée à ébullition. Ajoutez les
pâtes et faites-les cuire 10 à 12 minutes, jusqu'à ce qu'elles soient *al dente*.

3 Pendant ce temps, chauffez l'huile
dans une petite casserole. Mettez
le fenouil et l'échalote à revenir
pendant 2 à 3 minutes à feu vif, en
remuant de temps en temps.

4 Incorporez le coulis de tomates,
le sucre et l'origan. Couvrez et
laissez cuire à petit feu 10 à 12 minutes,
jusqu'à ce que le fenouil soit tendre.
Salez et poivrez. Égouttez les pâtes et
remettez-les dans la casserole. Mélangez-les à la sauce, puis servez parsemé de petits morceaux de fromage.

Nouilles chinoises aux cacahuètes

Vous pouvez ajouter n'importe lequel de vos légumes préférés à cette recette vite prête. Quant à la quantité de piment, à vous de voir ce que vous pouvez tolérer.

INGRÉDIENTS

Pour 4 personnes

200 g • 7 oz de nouilles chinoises aux œufs

30 ml • 2 cuil. à table d'huile d'olive

2 gousses d'ail pressées

1 gros oignon grossièrement haché

1 poivron rouge égrené
   et grossièrement haché

1 poivron jaune égrené
   et grossièrement haché

350 g • 12 oz de courgettes grossièrement hachées

150 g • ³/₄ tasse de cacahuètes non salées
   grillées, grossièrement hachées

Pour la sauce

50 ml • 2 oz • ¹/₄ tasse d'huile d'olive

le zeste râpé et le jus d'1 citron

1 piment rouge frais égrené
   et finement haché

45 ml • 3 cuil. à table de ciboulette fraîche ciselée

15-30 ml • 1-2 cuil. à table de vinaigre balsamique

sel et poivre noir fraîchement moulu

ciboulette fraîche ciselée pour servir

1 Faites cuire les nouilles selon les instructions portées sur l'emballage et égouttez-les bien.

2 Pendant ce temps, chauffez l'huile dans une très grande poêle ou dans un wok et faites revenir l'ail et l'oignon pendant 3 minutes, jusqu'à ce qu'ils commencent à fondre. Ajoutez les poivrons et les courgettes, et faites sauter les légumes pendant 15 minutes à feu moyen, jusqu'à ce qu'ils deviennent tendres et commencent à roussir. Incorporez enfin les cacahuètes et faites sauter le tout encore 1 minute.

3 Fouettez l'huile d'olive, le zeste de citron et 45 ml • 3 cuil. à table de jus de citron, le piment, les ciboulettes et le vinaigre balsamique. Salez et poivrez.

4 Mélangez les nouilles avec les légumes et faites sauter le tout pour les réchauffer. Versez la sauce, remuez bien et servez immédiatement, garni de ciboulette fraîche.

Légumes sautés aux noix de cajou

Pour préparer rapidement un plat coloré et riche en saveurs, l'idéal est de faire sauter les ingrédients.

INGRÉDIENTS

Pour 4 personnes

900 g • 2 lb de légumes variés
 (voir *Le conseil du chef*)
30 à 60 ml • 2 à 4 cuil. à table d'huile de
 tournesol ou d'olive
2 gousses d'ail pressées
15 ml • 1 cuil. à table de gingembre frais râpé
50 g • 2 oz • ¹/₂ tasse de noix de cajou ou
 60 ml • 4 cuil. à table de graines de
 tournesol, de potiron ou de sésame
sauce de soja
sel et poivre noir fraîchement moulu

1 Préparez chaque type de légume de façon appropriée. Par exemple, coupez les concombres et les carottes en allumettes très fines.

LE CONSEIL DU CHEF

Optez pour un assortiment tout
prêt de légumes préparé en vue
d'une poêlée, ou bien composez-
le vous-même. Prenez par
exemple des carottes, des pois
gourmands, du mini-maïs,
du chou chinois (pak choi), des
concombres, des germes de soja,
des champignons, des poivrons
et des oignons nouveaux.
Vous pouvez également ajouter
des pousses de bambou et
des châtaignes d'eau en boîte
après les avoir bien égouttées.

2 Chauffez une poêle, puis versez l'huile progressivement en filet. Lorsque l'huile est bien chaude, ajoutez l'ail et le gingembre, et faites-les revenir pendant 2 à 3 minutes sans cesser de remuer. Ajoutez ensuite les légumes les plus durs et faites-les sauter 5 minutes, tout en remuant constamment, jusqu'à ce qu'ils commencent à ramollir.

3 Incorporez les légumes les plus tendres et faites-les sauter à feu vif pendant 3 à 4 minutes.

4 Versez enfin les noix de cajou ou les graines. Assaisonnez avec de la sauce de soja, du sel et du poivre. Servez immédiatement.

Nouilles de riz à la sauce aux légumes pimentée

Piment et coriandre s'associent pour relever ce plat de nouilles de riz.

INGRÉDIENTS

Pour 4 personnes

15 ml • 1 cuil. à table d'huile de tournesol

1 oignon haché

2 gousses d'ail pressées

1 piment rouge frais égrené
    et finement haché

1 poivron rouge égrené et coupé en dés

2 carottes finement hachées

175 g • 6 oz de mini-épis de maïs coupés
    en deux

225 g • 8 oz de pousses de bambou
    émincées en boîte, rincées et égouttées

400 g • 14 oz de haricots rouges en boîte,
    rincés et égouttés

300 ml • 1¼ tasses de passata (ou de coulis
    de tomates)

15 ml • 1 cuil. à table de sauce de soja

5 ml • 1 cuil. à thé de coriandre en poudre

250 g • 9 oz de nouilles de riz

30 ml • 2 cuil. à table de coriandre fraîche
    hachée

sel et poivre noir fraîchement moulu

brins de persil frais pour garnir

3 Pendant ce temps, mettez les nouilles dans un saladier et couvrez-les d'eau bouillante. Remuez avec une fourchette, puis laissez reposer 3 à 4 minutes, conformément aux instructions de l'emballage. Rincez et égouttez.

4 Ajoutez la coriandre fraîche à la sauce. Répartissez les nouilles sur des assiettes préchauffées, puis couvrez-les de sauce, garnissez de persil haché et servez.

1 Chauffez l'huile dans une poêle. Faites revenir doucement l'oignon, l'ail, le piment et le poivron rouge pendant 5 minutes, en remuant constamment. Ajoutez les carottes, le maïs, les pousses de bambou, les haricots rouges, la passata, la sauce de soja et la coriandre en poudre, et mélangez bien.

2 Portez à ébullition, puis couvrez et laissez mijoter à feu doux 30 minutes, en remuant de temps en temps, jusqu'à ce que les légumes soient bien tendres. Salez et poivrez.

Frittata aux tomates séchées

Quelques tomates séchées au soleil donnent à cette omelette une saveur vraiment méditerranéenne.

Pour 3 à 4 personnes

6 tomates séchées au soleil, déshydratées
    ou bien à l'huile et égouttées
60 ml • 4 cuil. à table d'huile d'olive
1 petit oignon finement haché
1 pincée de feuilles de thym frais
6 œufs
50 g • 2 oz • 1/2 tasse de parmesan frais râpé
sel et poivre noir fraîchement moulu

1 Mettez les tomates dans un bol, puis versez de l'eau bouillante de façon à juste les recouvrir. Laissez-les tremper 15 minutes, puis retirez-les de l'eau et coupez-les en fines lamelles. Réservez l'eau de trempage.

2 Chauffez l'huile dans une grande poêle anti-adhésive ou à fond épais. Faites-y revenir l'oignon pendant 5 à 6 minutes, jusqu'à ce qu'il soit fondant et doré. Ajoutez les tomates et le thym et poursuivez la cuisson à feu moyen 2 à 3 minutes, tout en remuant. Salez et poivrez.

3 Cassez les œufs dans un saladier et battez légèrement à la fourchette. Ajoutez 45 à 60 ml • 3 à 4 cuil. à table de l'eau de trempage des tomates et le parmesan râpé.

4 Augmentez le feu sous la poêle. Lorsque l'huile grésille, versez les œufs. Mélangez-les rapidement aux autres ingrédients, puis cessez de remuer. Baissez le feu et poursuivez la cuisson à feu modéré pendant 4 à 5 minutes, jusqu'à ce que la frittata soit bien gonflée, et que le dessous ait doré.

5 Prenez une grande assiette, posez-la à l'envers sur la poêle et, en la tenant fermement avec une manique, retournez la poêle sur l'assiette. Faites alors glisser la frittata dans la poêle et poursuivez la cuisson jusqu'à ce que le deuxième côté soit lui aussi bien doré, soit 3 à 4 minutes de plus. Retirez du feu. Vous pouvez servir cette omelette chaude, à température ambiante ou bien froide. Coupez-la en parts comme une tarte.

Gnocchis de pommes de terre

On peut préparer les gnocchis soit avec de la purée de pommes de terre et de la farine, comme ici, soit avec de la semoule. Ils doivent être de consistance très légère, aussi veillez à ne pas trop travailler la pâte en les confectionnant.

INGRÉDIENTS

Pour 4 à 6 personnes

1 kg • 2¹/₄ lb de pommes de terre non farineuses, des charlottes par exemple, grattées

15 ml • 1 cuil. à table de sel

250 à 300 g • 2 à 2¹/₂ tasses de farine

1 œuf

1 pincée de noix de muscade râpée

25 g • 1 oz • 2 cuil. à table de beurre

parmesan fraîchement râpé pour servir

1 Mettez les pommes de terre avec leur peau dans une grande casserole d'eau salée. Portez à ébullition et faites cuire les pommes de terre jusqu'à ce qu'elles soient tendres mais ne s'écrasent pas. Égouttez-les, puis pelez-les dès que vous pouvez les manipuler.

2 Couvrez le plan de travail de farine. Écrasez les pommes de terre chaudes au presse-purée et faites les tomber directement sur la farine. Saupoudrez-les avec environ la moitié de la farine restante et incorporez-la très légèrement aux pommes de terre.

3 Cassez l'œuf dans le mélange, puis ajoutez la muscade et pétrissez la pâte légèrement. Lorsque la pâte est souple au toucher et qu'elle n'est plus humide ni collante, elle est prête à être étalée. Ne travaillez pas trop la pâte, sinon les gnocchis seront lourds.

4 Divisez la pâte en quatre. Avec chaque part de pâte, façonnez un boudin de 2 cm • ³/₄ pouce de diamètre environ, sur un plan de travail légèrement fariné. Veillez à nouveau à ne pas trop manipuler la pâte. Coupez ensuite les boudins transversalement en morceaux de 2 cm • ³/₄ pouce de long environ.

5 Prenez une fourchette dans une main et un gnocchi dans l'autre. Pressez légèrement le gnocchi contre les dents de la fourchette, puis faites-le rouler vers la pointe des dents, de façon qu'un côté soit cannelé et que l'autre garde la marque de votre pouce en creux. Procédez de même pour tous les gnocchis

6 Portez une grande casserole d'eau salée à ébullition. Lorsqu'elle bout à gros bouillons, plongez-y la moitié des gnocchis.

7 Les gnocchis sont cuits lorsqu'ils remontent à la surface, soit au bout de 3 à 4 minutes environ. Retirez-les de l'eau, égouttez-les bien puis mettez-les dans un plat préchauffé. Parsemez-les de noisettes de beurre. Gardez le premier lot au chaud pendant que vous faites cuire les autres gnocchis. Une fois tous les gnocchis cuits, mélangez-les avec le beurre ou une sauce que vous aurez fait chauffer, parsemez de parmesan râpé et servez.

VARIANTE

Les gnocchis verts sont des gnocchis de pommes de terre auxquels on ajoute des épinards. Prenez 700 g • 1¹/₂ lb d'épinards frais ou 400 g • 14 oz d'épinards en branches surgelés, et mélangez-les aux pommes de terre au niveau de l'étape n° 2.

Vous pouvez accommoder les gnocchis avec pratiquement n'importe quelle sauce. Une sauce crémeuse au gorgonzola, ou bien un simple filet d'huile d'olive les mettront particulièrement en valeur. Vous pouvez également les servir dans un potage léger.

Fajitas aux légumes

Ces tortillas, fourrées d'un mélange coloré de champignons, de poivrons et de sauce pimentée, sont servies avec un guacamole crémeux.

Pour 2 personnes

1 oignon
1 poivron rouge
1 poivron vert
1 poivron jaune
1 gousse d'ail pressée
250 g • 8 oz de champignons
90 ml • 6 cuil. à table d'huile végétale
30 ml • 2 cuil. à table de piment en poudre
sel et poivre noir fraîchement moulu

Pour le guacamole

1 avocat bien mûr
1 échalote grossièrement hachée
1 piment vert frais égrené
  et grossièrement haché
le jus d'une lime

Pour servir

4 à 6 tortillas de blé préchauffées
1 citron vert coupé en quartiers
quelques brins de coriandre fraîche

1 Émincez l'oignon. Coupez les poivrons en deux, retirez les graines et coupez-les en lamelles. Mélangez l'oignon et les poivrons dans un saladier. Ajoutez l'ail pressé et mélangez délicatement.

2 Retirez les pieds des champignons. Gardez-les pour préparer un bouillon, ou bien jetez-les. Émincez les chapeaux et ajoutez-les aux autres légumes. Mélangez l'huile et le piment en poudre dans un bol, puis versez cette sauce sur les légumes et remuez bien. Réservez.

3 Préparez le guacamole. Coupez l'avocat en deux, retirez le noyau, puis pelez-le. Mettez la chair dans un mixer avec l'échalote, le piment vert et le jus d'une lime.

4 Mixez 1 minute, jusqu'à obtention d'un mélange lisse et homogène. Transférez dans un bol, couvrez hermétiquement et mettez au réfrigérateur jusqu'au moment de servir.

5 Chauffez une poêle ou un wok. Lorsqu'il est très chaud, ajoutez les légumes marinés et faites-les sauter à feu vif 5 à 6 minutes, jusqu'à ce que les champignons et les poivrons soient juste tendres. Salez et poivrez. Répartissez les légumes sur les tortillas et roulez-les. Garnissez avec la coriandre fraîche et servez accompagné de guacamole et de quartiers d'une lime.

Œufs pochés à la crème de poireaux

Il est très facile d'essayer d'autres variantes d'œufs cocotte. Il suffit pour cela de remplacer les poireaux par un autre légume, de la ratatouille ou des épinards hachés par exemple.

Pour 4 personnes

15 g • 1/2 oz • 1 cuil. à table de beurre, plus de quoi beurrer les ramequins

225 g • 8 oz de petits poireaux émincés finement

75 à 90 ml • 5 à 6 cuil. à table de crème fraîche liquide

noix de muscade fraîchement râpée

4 œufs

sel et poivre noir fraîchement moulu

1 Préchauffez le four à 190°C • 375°F. Beurrez généreusement le fond et les côtés de 4 ramequins.

2 Faites fondre le beurre dans une petite poêle et faites revenir les poireaux à feu moyen, en remuant fréquemment, jusqu'à ce qu'ils ramollissent mais ne roussissent pas.

VARIANTE

Mettez 15 ml • 1 cuil. à table de crème fraîche dans chaque ramequin avec des herbes hachées. Cassez les œufs, ajoutez encore 15 ml • 1 cuil. de table fraîche et un peu de fromage râpé, puis faites cuire dans un bain-marie au four.

3 Ajoutez 45 ml • 3 cuil. à table de crème fraîche et poursuivez la cuisson 5 minutes de plus, jusqu'à ce que les poireaux soient bien fondants et que la crème ait un peu épaissi. Assaisonnez avec le sel, le poivre et la muscade.

4 Disposez les ramequins dans un petit plat à four et répartissez les poireaux dans les 4 ramequins. Cassez 1 œuf dans chaque récipient, puis nappez-le avec 5 à 10 ml • 1 à 2 cuil. à thé de la crème restante et rectifiez l'assaisonnement.

5 Versez de l'eau bouillante dans le plat à four, jusqu'à mi-hauteur des ramequins. Faites cuire au bain-marie au four pendant une dizaine de minutes, afin que les blancs soient pris mais les jaunes encore liquides, ou bien un peu plus longtemps si vous les préférez plus cuits.

Champignons farcis à la chinoise

Riche en protéines, le tofu est un ingrédient très pratique pour préparer un encas rapide comme celui-ci.

Pour 4 personnes

8 gros champignons aux chapeaux
    bien étalés
3 oignons nouveaux émincés
1 gousse d'ail pressée
30 ml • 2 cuil. à table de sauce de soja
    claire aux champignons
275 g • 10 oz de tofu mariné coupé en dés
200 g • 7 oz de maïs doux en boîte égoutté
10 ml • 2 cuil. à thé d'huile de sésame
sel et poivre noir fraîchement moulu

1 Préchauffez le four à 200°C • 400°F. Hachez finement les pieds des champignons et mélangez-les avec les oignons nouveaux, l'ail et la sauce de soja aux champignons.

2 Ajoutez le tofu et le maïs doux, salez et poivrez, puis répartissez cette farce dans les chapeaux des champignons.

3 Badigeonnez le bord des champignons d'huile de sésame. Disposez les champignons farcis dans un plat à four et faites-les cuire 12 à 15 minutes, jusqu'à ce qu'ils soient tendres, et servez immédiatement.

LE CONSEIL DU CHEF

Pour un plat plus parfumé, remplacez la sauce de soja claire par de la sauce de soja foncée.

Terrine de légumes aux amandes

Cette délicieuse terrine est parfaite pour un pique-nique.

INGRÉDIENTS

Pour 4 personnes

15 ml • 1 cuil. à table d'huile d'olive, plus de quoi graisser le moule

1 oignon haché

1 poireau haché

2 branches de céleri finement hachées

250 g • 8 oz de champignons de Paris hachés

2 gousses d'ail pressées

450 g • 15 oz de lentilles en boîte rincées et égouttées

125 g • 4 oz • 1 tasse de fruits secs variés (noisettes, noix de cajou et amandes par exemple) finement hachés

50 g • 2 oz • ¹/₂ tasse de farine

50 g • 2 oz • ¹/₂ tasse de cheddar vieux ou de salers, râpé

1 œuf moyen battu

45 à 60 ml • 3 à 4 cuil. à table d'herbes aromatiques fraîches hachées

sel et poivre noir fraîchement moulu

ciboulette et brins de persil plat frais pour garnir

1 Préchauffez le four à 190°C • 375°F. Huilez légèrement le fond et les côtés d'un moule à cake de 900 g • 2 lb de contenance et tapissez-le de papier cuisson.

2 Chauffez l'huile dans une grande casserole. Ajoutez l'oignon, le poireau, les branches de céleri, les champignons hachés et l'ail pressé, et faites revenir le tout à petit feu pendant 10 minutes, jusqu'à ce que les légumes aient ramolli, en remuant de temps en temps.

3 Ajoutez les lentilles, les fruits secs, la farine, le fromage râpé, l'œuf et les aromates. Salez, poivrez et mélangez bien.

4 Versez cette préparation dans le moule, puis lissez le dessus. Faites cuire sans couvrir pendant 50 à 60 minutes, jusqu'à ce que la terrine soit légèrement dorée et ferme au toucher.

5 Laissez refroidir légèrement la terrine avant de la démouler sur un plat. Servez-la chaude ou froide, coupée en tranches et garnie de ciboulette et de persil plat.

Terrine épicée aux lentilles et aux haricots rouges

Une terrine appétissante et riche en fibres, idéale pour un pique-nique.

Pour 12 personnes

10 ml • 2 cuil. à thé d'huile d'olive

1 oignon finement haché

1 gousse d'ail pressée

2 branches de céleri finement hachées

400 g • 14 oz de haricots rouges en boîte

400 g • 14 oz de lentilles en boîte

1 œuf

1 carotte grossièrement râpée

50 g • 2 oz • ½ tasse de cheddar vieux
    ou de gruyère, finement râpé

50 g • 2 oz • 1 tasse de miettes de pain
    complet frais

15 ml • 1 cuil. à table de concentré de
    tomates

15 ml • 1 cuil. à table de ketchup

5 ml • 1 cuil. à thé de cumin, de coriandre
    et de piment fort en poudre

sel et poivre noir fraîchement moulu

salade pour servir

1 Préchauffez le four à 180°C • 350°F. Beurrez légèrement un moule à cake de 900 g • 2 lb de contenance.

2 Chauffez l'huile dans une poêle, ajoutez l'ail, l'oignon, et le céleri et faites revenir le tout doucement pendant 5 minutes, en remuant de temps en temps. Retirez du feu et laissez refroidir légèrement.

3 Rincez les haricots et les lentilles et égouttez-les bien. Mixez-les avec le mélange à base d'oignon et l'œuf, jusqu'à obtention d'une préparation homogène.

4 Versez cette préparation dans un saladier, ajoutez les autres ingrédients et mélangez. Salez et poivrez.

5 Versez la préparation dans le moule et lissez le dessus. Faites cuire la terrine 1 heure, puis démoulez-la et servez-la chaude ou froide, coupée en tranches et accompagnée d'une salade.

Champignons farcis

Pour cette recette classique des champignons farcis à l'ail et au persil, prenez des champignons de Paris ou sauvages que l'on trouve parfois sur le marché.

INGRÉDIENTS

Pour 4 personnes

450 g • 1 lb de gros champignons aux chapeaux bien étalés

beurre pour graisser le plat

75 ml • 5 cuil. à table environ d'huile d'olive

2 gousses d'ail pressées

45 ml • 3 cuil. à table de persil frais finement haché

40 à 50 g • 1¹/₂ à 2 oz • ³/₄ à 1 tasse de miettes de pain blanc frais

sel et poivre noir fraîchement moulu

quelques brins de persil plat frais pour garnir

1 Préchauffez le four à 180°C • 350°F. Coupez les pieds des champignons et réservez-les.

2 Disposez les chapeaux des champignons dans un plat à four beurré, les lamelles vers le haut.

3 Chauffez 15 ml • 1 cuil. à table d'huile dans une poêle et faites revenir l'ail rapidement. Hachez finement les pieds de champignons et mélangez-les avec le persil haché et les miettes de pain. Ajoutez l'ail et 15 ml • 1 cuil. à table d'huile. Salez et poivrez. Répartissez cette préparation dans les chapeaux des champignons.

4 Ajoutez le reste d'huile dans le plat et couvrez les champignons avec une feuille de papier cuisson beurrée. Enfournez pour 15 à 20 minutes, en retirant le papier 5 minutes avant la fin de la cuisson afin de faire dorer le dessus des champignons. Garnissez de brins de persil plat frais et servez.

Oignons farcis à la feta et aux pignons

*Servez ces oignons farcis avec
du pain chaud huilé, vous aurez
un encas délicieux.*

INGRÉDIENTS

Pour 4 personnes

4 gros oignons rouges

15 ml • 1 cuil. à table d'huile d'olive

25 g • 1 oz de pignons

125 g • 4 oz de feta émiettée

25 g • ½ tasse de miettes de pain blanc frais

15 ml • 1 cuil. à table de coriandre fraîche
   hachée

sel et poivre noir fraîchement moulu

1 Préchauffez le four à 180°C • 350°F.
Beurrez légèrement un plat à
gratin. Épluchez les oignons et ôtez
une fine tranche à la base et au sommet de chacun. Mettez ensuite les
oignons dans une grande casserole
d'eau bouillante et faites-les cuire
pendant 10 à 12 minutes.

2 Retirez les oignons de l'eau avec
une écumoire. Posez-les sur de
l'essuie-tout pour qu'ils s'égouttent
et laissez-les refroidir légèrement.

3 À l'aide d'un petit couteau ou
avec les doigts, retirez l'intérieur
des oignons en laissant deux à trois
épaisseurs à l'extérieur, de façon à
obtenir une sorte de coquille. Hachez
finement l'intérieur des oignons et
posez les coquilles dans le plat à gratin.

4 Chauffez l'huile dans une poêle
de taille moyenne. Mettez à revenir les oignons hachés pendant 4 à
5 minutes, jusqu'à ce qu'ils soient
bien dorés, puis ajoutez les pignons
et faites sauter le tout quelques
minutes de plus.

5 Mettez la feta dans un bol avec
les oignons, les miettes de pain,
les pignons et la coriandre. Mélangez
bien, salez légèrement et poivrez.

6 Répartissez la préparation dans
les coquilles d'oignon. Couvrez
avec du papier d'aluminium sans
trop serrer et enfournez le tout pour
une trentaine de minutes. Retirez
le papier d'aluminium 10 minutes
avant la fin de la cuisson pour que les
oignons dorent légèrement. Servez
très chaud.

Tartelettes aux oignons et au fromage de chèvre

*Une variante de la classique tarte
à l'oignon, où le fromage de chèvre
doux et crémeux, se marie
parfaitement aux oignons.*

INGRÉDIENTS

Pour 8 personnes

175 g • 6 oz • 1½ tasses de farine

65 g • 2½ oz • 5 cuil. à table de beurre

25 g • 1 oz de tomme de chèvre râpée

Pour la garniture

15 à 25 ml • 1 à 1½ cuil. à table d'huile
   d'olive ou de tournesol

3 oignons finement émincés

175 g • 6 oz de fromage de chèvre frais

2 œufs battus

15 ml • 1 cuil. à table de crème fraîche liquide

50 g • 2 oz de tomme de chèvre râpée

15 ml • 1 cuil. à table d'estragon frais haché

sel et poivre noir fraîchement moulu

1 Préparez la pâte : tamisez la
farine dans une terrine, et incorporez le beurre jusqu'à ce que le
mélange s'émiette. Ajoutez le fromage
râpé et assez d'eau pour obtenir une
pâte souple. Pétrissez-la légèrement,
glissez-la dans un sachet en plastique
et mettez-la au réfrigérateur. Préchauffez le four à 190°C • 375°F.

2 Étalez la pâte au rouleau sur un
plan de travail légèrement fariné.
Découpez 8 disques de 12 cm • 4½
pouces de diamètre à l'aide d'un emporte-pièce, puis garnissez 8 moules
à tartelettes de 10 cm • 4 pouces de
diamètre. Piquez le fond avec une
fourchette et faites cuire à vide pendant 10 à 15 minutes. Baissez ensuite
le four jusqu'à 180°C • 350°F.

3 Chauffez l'huile dans une grande
poêle et faites revenir les oignons
à feu doux pendant 20 à 25 minutes,
jusqu'à ce qu'ils soient bien dorés.
Remuez souvent pour éviter qu'ils
ne brûlent.

4 Battez le fromage de chèvre frais
avec les œufs, la crème fraîche, la
tomme de chèvre râpée et l'estragon.
Salez et poivrez, puis incorporez les
oignons revenus.

5 Répartissez cette préparation sur
les 8 fonds de tartelette précuits
et enfournez 20 à 25 minutes, jusqu'à
ce que le dessus soit bien doré. Servez
chaud ou froid accompagné d'une
salade verte.

Bouchées au maïs et à la feta

*Ces délicieuses bouchées sont
très faciles à faire : alors, pourquoi
ne pas en préparer le double,
puisqu'elles partiront comme
des petits pains ?*

INGRÉDIENTS

Pour 18 à 20 bouchées

250 g • 9 oz de maïs doux

125 g • 4 oz de feta

1 œuf battu

30 ml • 2 cuil. à table de crème fraîche liquide

15 g • ¹/₂ oz de parmesan frais râpé

3 oignons nouveaux hachés

8 à 10 petites feuilles de pâte filo ou de brik

115 g • 4 oz • 8 cuil. à table de beurre fondu

poivre noir fraîchement moulu

1 Préchauffez le four à 190°C • 375°F.
Beurrez 2 moules à muffins.

2 Si vous utilisez du maïs frais,
retirez les grains des épis à l'aide
d'un grand couteau tranchant,
que vous passez dans un mouvement
descendant du sommet de l'épi
jusqu'à la pointe. Faites-les blanchir
à petit feu dans de l'eau bouillante
salée pendant 3 à 5 minutes, jusqu'à
ce qu'ils soient tendres. Si vous
utilisez du maïs en boîte, égouttez-le
puis rincez-le bien sous l'eau froide.

3 Émiettez la feta dans un saladier
et incorporez le maïs. Ajoutez
ensuite l'œuf, la crème fraîche, le
parmesan râpé, les oignons nouveaux et le poivre noir moulu et
mélangez bien.

4 Coupez 1 feuille de pâte en deux
de façon à obtenir un carré (couvrez le reste de pâte d'un torchon
humide pour éviter qu'elle ne sèche).
Badigeonnez de beurre fondu, puis
pliez le carré en quatre de façon à
obtenir un carré plus petit (7,5 cm •
3 pouces de côté environ).

5 Déposez 1 cuillerée à thé bombée
de farce au centre du carré de
pâte, puis resserrez la pâte autour de
la farce de façon à obtenir une petite
bourse.

6 Procédez ainsi jusqu'à épuisement de la farce. Badigeonnez
l'extérieur de chaque «bourse» avec
le reste de beurre et mettez-les au
four. Faites-les cuire 15 minutes
environ, jusqu'à ce qu'elles soient
dorées. Servez bien chaud.

Tourte aux épinards et au fromage

Cette tourte se congèle bien et peut en outre être réchauffée. Elle sera idéale pour un buffet de fête.

INGRÉDIENTS

Pour 8 personnes

115 g • 4 oz • 8 cuil. à table de beurre

225 g • 8 oz • 2 tasses de farine

2.5 ml • ¹/₂ cuil. à thé de moutarde en poudre

2.5 ml • ¹/₂ cuil. à thé de paprika

1 bonne pincée de sel

125 g • 4 oz de cheddar ou de gruyère, finement râpé

1 œuf battu pour dorer

Pour la garniture

450 g • 1 lb d'épinards surgelés

1 oignon haché

1 pincée de muscade râpée

225 g • 8 oz • 1 tasse de fromage frais type fromage cottage

2 gros œufs battus

50 g • 2 oz de parmesan frais râpé

150 ml • ²/₃ tasse de crème fraîche liquide

sel et poivre noir fraîchement moulu

1 Travaillez le beurre et la farine ensemble jusqu'à ce que le mélange s'émiette. Ajoutez la moutarde en poudre, le paprika, le sel et le fromage, puis environ 45 à 60 ml • 3 à 4 cuil. à table d'eau froide pour lier la pâte. Pétrissez jusqu'à ce que la pâte soit bien homogène, enveloppez-la et mettez-la au réfrigérateur pendant 20 minutes.

2 Faites cuire les épinards et l'oignon dans une casserole avec un peu d'eau à petit feu. Assaisonnez de muscade, salez et poivrez. Versez ensuite les épinards dans une terrine et laissez-les refroidir légèrement. Ajoutez les ingrédients restants.

3 Étalez les 2/3 de la pâte sur un plan de travail légèrement fariné et garnissez-en un moule à tarte à fond détachable de 23 cm • 9 pouces de diamètre. Appuyez bien sur les bords et retirez le surplus de pâte. Versez la garniture sur le fond de tarte.

4 Préchauffez le four à 200°C • 400°F et glissez une grille dans le four pour la faire chauffer.

5 Étalez le reste de pâte et confectionnez des croisillons à l'aide d'un emporte-pièce ou en découpant des lanières de pâte et en les assemblant. Posez les croisillons sur la garniture, puis badigeonnez les bords avec de l'œuf battu. Soudez les croisillons au fond de tarte en appuyant sur la pâte et retirez l'excédent. Enduisez ensuite l'ensemble des croisillons d'œuf battu et glissez le moule sur la grille du four. Faites cuire la tourte 35 à 40 minutes, jusqu'à ce que le dessus soit bien doré. Servez chaud ou froid.

Gado gado

*C'est au galanga (un rhizome
aromatique proche du gingembre)
que la sauce aux cacahuètes
de ce plat de légumes indonésien
doit son parfum particulier.*

INGRÉDIENTS

Pour 4 personnes

250 g • 9 oz de chou blanc coupé en fines
    lamelles
4 carottes coupées en allumettes
4 branches de céleri coupées en allumettes
250 g • 9 oz • 4 tasses de germes de soja
1/2 concombre coupé en allumettes
oignon frit, cacahuètes salées
    et piment frais émincé pour garnir

Pour la sauce aux cacahuètes

15 ml • 1 cuil. à table d'huile
1 petit oignon finement haché
1 gousse d'ail pressée
1 petit morceau de galanga pelé et râpé
5 ml • 1 cuil. à thé de cumin en poudre
1 bonne pincée de piment en poudre
5 ml • 1 cuil. à thé de pâte de tamarin
    ou de jus de citron vert
60 ml • 6 cuil. à table de beurre de
    cacahuètes (ou pâte d'arachide) croquant
5 ml • 1 cuil. à thé de sucre roux

1 Faites cuire à la vapeur le chou,
les carottes et le céleri 3 à 4 minutes, jusqu'à ce qu'ils soient juste
tendres. Laissez refroidir. Répartissez
les germes de soja sur un grand plat,
puis disposez dessus le chou, les
carottes, le céleri et le concombre.

2 Préparez la sauce : faites chauffer
l'huile dans une casserole, puis
mettez à revenir l'oignon et l'ail à
petit feu pendant 5 minutes, jusqu'à
ce qu'ils soient fondants.

LE CONSEIL DU CHEF

❦

Dans la mesure où la sauce
reste inchangée, vous pouvez
varier les légumes selon votre
humeur, mais aussi en fonction
de la saison ou de ce que vous
avez trouvé sur le marché.

3 Ajoutez les épices et poursuivez
la cuisson 1 minute. Incorporez
la pâte de tamarin ou le jus de citron
vert, le beurre de cacahuètes et le sucre.

4 Mélangez bien et chauffez doucement cette sauce, en remuant
de temps en temps et en rajoutant un
peu d'eau si besoin est, de façon à
obtenir une préparation assez liquide
pour bien enrober les légumes.

5 Versez un peu de sauce sur les
légumes et mélangez délicatement. Garnissez avec des oignons
frits, des cacahuètes salées et du
piment haché. Servez le reste de
sauce séparément.

Salade de frittata à la sauce tomate

Ce plat est parfait pour un déjeuner léger en plein été.

INGRÉDIENTS

Pour 3 à 4 personnes

6 œufs

30 ml • 2 cuil. à table d'un mélange d'herbes fraîches hachées, basilic, persil, thym et estragon par exemple

40 g • ¼ tasse de parmesan frais râpé

45 ml • 3 cuil. à table d'huile d'olive

sel et poivre noir fraîchement moulu

Pour la sauce tomate

30 ml • 2 cuil. à table d'huile d'olive

1 petit oignon finement haché

350 g • 12 oz de tomates fraîches hachées, ou 400 g • 14 oz de tomates concassées en boîte

1 gousse d'ail hachée

sel et poivre noir fraîchement moulu

1 Préparez la frittata : cassez les œufs dans un saladier et battez-les légèrement avec une fourchette. Ajoutez les herbes et le parmesan, mélangez, puis salez et poivrez. Chauffez l'huile dans une grande poêle anti-adhésive ou à fond épais jusqu'à ce qu'elle soit très chaude mais qu'elle ne fume pas.

2 Incorporez les œufs battus en omelette et faites-les cuire, sans remuer, jusqu'à ce que la frittata ait gonflé et qu'elle soit bien dorée dessous.

3 Prenez une grande assiette, posez-la à l'envers sur la frittata puis, en la tenant fermement avec une manique, retournez la poêle sur l'assiette. Faites-la glisser dans la poêle de l'autre côté et poursuivez la cuisson pendant 3 à 4 minutes ou plus, jusqu'à ce qu'elle soit bien dorée. Retirez du feu et laissez refroidir complètement.

4 Préparez la sauce tomate : chauffez l'huile dans une cocotte de taille moyenne. Ajoutez l'oignon et faites-le revenir à petit feu jusqu'à ce qu'il ramollisse. Versez les tomates, l'ail et 60 ml • 4 cuil. à table d'eau, puis salez et poivrez. Couvrez et laissez mijoter à feu moyen pendant 15 minutes environ.

5 Retirez la sauce du feu et attendez qu'elle refroidisse un peu avant de la passer au presse-purée ou au chinois. Laissez-la refroidir complètement.

6 Coupez la frittata en fines lamelles. Mettez-les dans un saladier, ajoutez la sauce tomate et mélangez délicatement. Servez à température ambiante ou bien froid.

Ratatouille

Un grand classique de la cuisine provençale, délicieusement parfumé par les nombreux légumes frais et aromates qui entrent dans sa composition.

INGRÉDIENTS

Pour 4 personnes

2 grosses aubergines coupées en morceaux

4 courgettes coupées en morceaux

150 ml • ²/₃ tasse d'huile d'olive

2 oignons émincés

2 gousses d'ail hachées

1 gros poivron rouge égrené
   et grossièrement haché

2 gros poivrons jaunes égrenés
   et grossièrement hachés

1 brin de romarin frais

1 brin de thym frais

5 ml • 1 cuil. à thé de graines de coriandre pilées

3 tomates olivettes ou Roma, pelées,
   égrenées et hachées

8 feuilles de basilic ciselées

sel et poivre noir fraîchement moulu

quelques brins de persil ou de basilic frais
   pour garnir

1 Saupoudrez les morceaux d'aubergines et de courgettes de sel, puis mettez-les dans une passoire afin d'éliminer l'amertume. Laissez-les dégorger ainsi pendant une demi-heure environ.

2 Chauffez l'huile d'olive dans une grande casserole. Mettez les oignons à revenir doucement pendant 6 à 7 minutes, jusqu'à ce qu'ils commencent à ramollir. Ajoutez l'ail et poursuivez la cuisson 2 minutes.

3 Rincez les aubergines et les courgettes et essuyez-les. Ajoutez-les dans la casserole avec les poivrons, augmentez le feu et faites sauter les légumes jusqu'à ce que les poivrons commencent à roussir.

4 Ajoutez les aromates et les graines de coriandre, puis couvrez et laissez mijoter à petit feu pendant 40 minutes environ.

5 Ajoutez les tomates, salez et poivrez. Poursuivez la cuisson à feu doux pendant une dizaine de minutes, jusqu'à ce que les légumes soient tendres mais ne s'écrasent pas. Retirez les brins de thym et de romarin, puis ajoutez le basilic et vérifiez l'assaisonnement. Laissez refroidir légèrement et servez tiède ou froid, garni avec des brins de persil ou de basilic.

Croquettes de maïs et tomates à la provençale

Ces croquettes de maïs sont très faciles à faire et parfaites à déguster en encas.

Pour 4 personnes

1 gros épi de maïs doux

75 g • 3 oz • 3/4 tasse de farine

1 œuf

un peu de lait

2 grosses tomates bien fermes

1 gousse d'ail pressée

5 ml • 1 cuil. à thé d'origan séché

30 à 45 ml • 2 à 3 cuil. à table d'huile
d'olive et un peu pour la friture

sel et poivre noir fraîchement moulu

8 grandes feuilles de laitue ou de scarole
pour servir

basilic frais ciselé pour garnir

1 Enlevez l'enveloppe soyeuse de l'épi de maïs, puis, en tenant l'épi dressé appuyé sur un plan de travail, retirez les grains avec un grand couteau que vous passez de haut en bas. Mettez les grains dans une casserole d'eau bouillante et faites-les cuire 3 minutes une fois que l'eau s'est remise à bouillir. Égouttez-les et rincez-les sous l'eau froide.

2 Mettez la farine en puits dans un saladier et cassez l'œuf au milieu. Commencez à battre le tout à la fourchette, en ajoutant un peu de lait de façon à obtenir une pâte assez souple. Ajoutez le maïs égoutté, remuez, puis salez et poivrez.

3 Préchauffez le gril. Coupez les tomates en deux dans le sens de la largeur et pratiquez deux à trois entailles croisées sur la face coupée. Frottez avec l'ail pressé, saupoudrez d'origan, salez et poivrez. Arrosez d'un filet d'huile d'olive et faites griller les tomates jusqu'à ce qu'elles aient légèrement doré.

4 Pendant que les tomates sont sous le gril, chauffez un peu d'huile dans une grande poêle et laissez tomber une cuillerée à soupe de pâte au maïs au centre. Faites cuire les croquettes une par une à feu doux, en les retournant dès que le dessus a pris. Laissez-les s'égoutter sur de l'essuie-tout et maintenez-les au chaud pendant que vous faites cuire les autres. Les proportions données ici doivent vous permettre de confectionner au moins 8 croquettes.

5 Dressez 1 belle feuille de salade sur chaque assiette et posez dessus 2 croquettes de maïs. Garnissez de basilic frais et servez accompagné d'une demi-tomate à la provençale.

Salade de cèpes frais aux noix

Pour donner toute leur saveur à ces champignons fraîchement cueillis, cette salade est assaisonnée d'une sauce au jaune d'œuf et à l'huile de noix. Choisissez de petits cèpes, ils seront plus fermes et plus parfumés.

INGRÉDIENTS

Pour 4 personnes

350 g • 12 oz de cèpes frais

175 g • 6 oz de mesclun, composé par exemple de batavia, de frisée et de feuilles d'épinards

50 g • ½ tasse de cerneaux de noix grillés

50 g • 2 oz de parmesan

sel et poivre noir fraîchement moulu

Pour la sauce

2 jaunes d'œufs

2.5 ml • ½ cuil. à thé de moutarde de Dijon

75 ml • 5 cuil. à table d'huile d'arachide

45 ml • 3 cuil. à table d'huile de noix

30 ml • 2 cuil. à table de jus de citron

30 ml • 2 cuil. à table de persil frais haché

1 pincée de sucre en poudre

1 Préparez la sauce : mettez les jaunes d'œufs dans un bocal à couvercle vissé avec la moutarde, l'huile d'arachide, l'huile de noix, le jus de citron, le persil et le sucre. Fermez le bocal et secouez bien.

2 Émincez finement les cèpes avec un couteau bien tranchant.

3 Mettez les champignons dans un grand saladier, versez la sauce et mélangez bien le tout. Laissez reposer 10 à 15 minutes pour que les saveurs se mêlent.

4 Lavez la salade et essorez-la, puis ajoutez-la aux champignons.

5 Répartissez la salade sur 4 assiettes, salez, poivrez, puis parsemez de cerneaux de noix grillés et de copeaux de parmesan.

LE CONSEIL DU CHEF

La sauce de cette salade contient des jaunes d'œufs crus. Aussi veillez à n'utiliser que des œufs très frais. Il est par ailleurs déconseillé aux femmes enceintes, aux jeunes enfants et aux personnes âgées de consommer des œufs crus. En cas de doute, vous pouvez supprimer les jaunes d'œufs dans l'assaisonnement de cette salade.

Carbonara aux tomates séchées et au parmesan

Dans cette sauce carbonara végétarienne, les tomates séchées remplacent les lardons. N'hésitez pas à doubler les proportions pour régaler quatre convives. Et si vous serviez ces pâtes accompagnées d'une salade verte et de pain aillé ?

INGRÉDIENTS

Pour 2 personnes

175 g • 6 oz de tagliatelles

50 g • 2 oz de tomates séchées au soleil conservées dans l'huile, égouttées

2 œufs battus

150 ml • 2/3 tasse de crème fraîche épaisse

15 ml • 1 cuil. à table de moutarde à l'ancienne

50 g • 2 oz • 2/3 tasse de parmesan frais râpé

12 feuilles de basilic frais ciselées

sel et poivre

feuilles de basilic frais pour garnir

1 Faites cuire les pâtes *al dente* dans de l'eau bouillante salée.

2 Dans le même temps, détaillez les tomates séchées en petits morceaux.

3 Battez les œufs avec la crème fraîche et la moutarde. Salez et poivrez abondamment, et fouettez jusqu'à ce que le mélange soit bien homogène, mais sans le faire mousser.

4 Égouttez les pâtes et remettez-les immédiatement dans la casserole chaude. Versez dessus la sauce à la crème, puis les tomates, le parmesan et le basilic frais ciselé. Réchauffez le tout à feu très doux 1 minute, en remuant délicatement jusqu'à ce que la sauce épaississe légèrement. Vérifiez l'assaisonnement et servez aussitôt, garni de quelques feuilles de basilic frais.

Omelette aux haricots blancs

Tout bon cuisinier devrait avoir quelques recettes d'omelette à son répertoire. En voici une originale, préparée avec des haricots blancs bien tendres et parsemée de graines de sésame grillées.

INGRÉDIENTS

Pour 4 personnes

30 ml • 2 cuil. à table d'huile d'olive

5 ml • 1 cuil. à thé d'huile de sésame

1 oignon d'Espagne haché

1 petit poivron rouge égrené et coupé en dés

2 branches de céleri hachées

400 g • 14 oz de haricots blancs en boîte
   égouttés

8 œufs

45 ml • 3 cuil. à table de graines de sésame

sel et poivre noir fraîchement moulu

salade verte pour servir

3 Battez les œufs à la fourchette dans un saladier, salez et poivrez. Versez les œufs battus dans la poêle.

4 Remuez avec une spatule en bois jusqu'à ce que les œufs commencent à prendre, puis laissez cuire l'omelette à feu doux 6 à 8 minutes, jusqu'à ce qu'elle soit ferme.

5 Préchauffez modérément un gril. Saupoudrez l'omelette de graines de sésame et faites-les dorer uniformément sous le gril.

6 Coupez l'omelette en parts comme une tarte et servez-la tiède accompagnée d'une salade verte.

1 Chauffez les 2 huiles dans une poêle de 30 cm • 12 pouces de diamètre qui supporte la chaleur d'un gril. Mettez à revenir l'oignon, le poivron et le céleri jusqu'à ce que les légumes ramollissent mais ne roussissent pas.

2 Ajoutez les haricots et poursuivez la cuisson pendant quelques minutes pour les réchauffer.

VARIANTE

~

Vous pouvez remplacer les haricots par des rondelles de pommes de terre sautées, des cœurs d'artichauts, des pois chiches ou n'importe quel légume de saison.

Omelette aux champignons

Parfaite pour un brunch dominical, cette omelette est la simplicité même.

Pour 1 personne

25 g • 1 oz • 2 cuil. à table de beurre et un
    peu pour la cuisson
125 g • 4 oz de champignons de couche et
    de champignons des bois variés, comme
    par exemple de jeunes cèpes, des bolets,
    des chanterelles, des lactaires délicieux,
    des pleurotes et des pieds-de-mouton,
    triés et émincés
3 œufs à température ambiante
sel et poivre noir fraîchement moulu
pain grillé et salade pour servir

1 Faites fondre le beurre dans une petite poêle. Ajoutez les champignons et faites-les sauter jusqu'à ce qu'ils rendent leur jus. Salez, poivrez, puis transférez-les sur une assiette et réservez. Essuyez la poêle.

2 Cassez les œufs dans un saladier et battez-les à la fourchette. Chauffez la poêle à feu vif, mettez une noisette de beurre à roussir. Versez les œufs battus et remuez vivement avec le dos de la fourchette.

3 Une fois que les œufs sont cuits à moitié, ajoutez les champignons et laissez l'omelette cuire 10 à 15 secondes de plus.

4 Détachez l'omelette de la poêle, puis repliez-la en chausson et faites-la glisser sur une assiette. Servez avec du pain chaud et croustillant et une salade verte.

LES PLATS UNIQUES

~

Pilau végétarien

Un plat de riz aux légumes parfait pour un dîner léger et gourmand.

Pour 4 à 6 personnes

225 g • 8 oz • 1 tasse de riz basmati

30 ml • 2 cuil. à table d'huile

2.5 ml • ½ cuil. à thé de graines de cumin

2 feuilles de laurier

4 gousses de cardamome verte

4 clous de girofle

1 oignon finement haché

1 carotte coupée en petits dés

50 g • ⅓ tasse de petits pois surgelés, décongelés

50 g • ⅓ tasse de maïs doux surgelé, décongelé

25 g • ¼ tasse de noix de cajou légèrement sautées

1 bonne pincée de cumin en poudre

sel

1 Lavez plusieurs fois le riz basmati à l'eau froide, puis mettez-le dans un saladier et recouvrez-le d'eau. Laissez-le tremper ainsi une demi-heure environ.

2 Chauffez l'huile dans une grande poêle et faites revenir les graines de cumin pendant 2 minutes. Ajoutez les feuilles de laurier, la cardamome et les clous de girofle, et faites sauter le tout 2 minutes de plus.

3 Incorporez l'oignon et faites-le revenir pendant 5 minutes, jusqu'à ce qu'il soit fondant et légèrement doré.

4 Ajoutez la carotte et faites-la sauter 3 à 4 minutes.

5 Égouttez le riz et versez-le dans la poêle avec les petits pois, le maïs et les noix de cajou. Faites sauter le tout pendant 4 à 5 minutes.

6 Versez enfin 450 ml • 2 tasses d'eau, le cumin en poudre et salez. Portez à ébullition, puis couvrez et laissez cuire à feu doux pendant 15 minutes, jusqu'à ce que toute l'eau ait été absorbée. Laissez reposer le pilau, couvert, pendant 10 minutes avant de le servir.

Risotto aux poivrons rouges

La consistance de ce délicieux risotto dépend du type de riz que vous choisirez. Avec du riz arborio, le risotto sera crémeux. Avec du riz complet, diminuez la quantité de liquide utilisée et le plat sera plus sec, avec un léger goût de noisette.

INGRÉDIENTS

Pour 6 personnes

3 gros poivrons rouges

30 ml • 2 cuil. à table d'huile d'olive

3 grosses gousses d'ail finement émincées

600 g • 14 oz de tomates concassées en boîte

2 feuilles de laurier

1,2 à 1,5 l • 4³/₄ à 6 tasses de bouillon de légumes

450 g • 1 lb • 2¹/₂ tasses de riz arborio ou de riz complet

6 feuilles de basilic frais ciselées

sel et poivre noir fraîchement moulu

1 Préchauffez le gril. Disposez les poivrons dans une lèchefrite et faites-les griller jusqu'à ce que leur peau ait noirci et soit entièrement boursouflée. Mettez ensuite les poivrons dans un saladier, couvrez-les avec plusieurs épaisseurs de papier absorbant humide et laissez-les reposer pendant 10 minutes. Pelez les poivrons, émincez-les et jetez les graines et les queues.

2 Chauffez l'huile dans une grande sauteuse. Mettez l'ail et les tomates à revenir à feu doux 5 minutes. Ajoutez les morceaux de poivrons et les feuilles de laurier. Remuez bien et faites mijoter le tout 15 minutes de plus, toujours à petit feu.

3 Versez le bouillon dans une grande casserole à fond épais et portez-le à ébullition. Ajoutez le riz aux légumes, remuez et faites-le revenir ainsi pendant 2 minutes environ. Versez ensuite 2 à 3 louches de bouillon frémissant. Laissez mijoter le riz en remuant de temps en temps jusqu'à ce qu'il ait entièrement absorbé le bouillon.

4 Continuez à ajouter du bouillon ainsi, en veillant à ce qu'il soit entièrement absorbé par le riz avant d'en rajouter. Lorsque le riz est tendre, salez et poivrez. Retirez la sauteuse du feu, couvrez et laissez reposer une dizaine de minutes avant d'ajouter le basilic et de servir.

Risotto aux champignons

Les champignons des bois donnent à ce risotto une saveur boisée délicieuse.

Pour 3 à 4 personnes

25 g • 1 oz • ¹/₃ tasse de champignons des bois séchés, des cèpes de préférence

175 g • 6 oz de champignons de couche frais

le jus d'1/2 citron

75 g • 3 oz • 6 cuil. à table de beurre

30 ml • 2 cuil. à table de persil finement haché

900 ml • 3³/₄ tasses de bouillon de légumes

30 ml • 2 cuil. à table d'huile d'olive

1 petit oignon finement haché

275 g • 10 oz • 1¹/₂ tasses de riz spécial risotto à grain moyen, de l'arborio par exemple

120 ml • 4 oz • ¹/₂ tasse de vin blanc sec

45 ml • 3 cuil. à table de parmesan fraîchement râpé

sel et poivre noir fraîchement moulu

1 brin de persil plat pour garnir

3 Dans une grande sauteuse ou cocotte à fond épais, faites fondre 1/3 du beurre. Ajoutez les champignons frais et faites-les sauter à feu moyen jusqu'à ce qu'ils rendent leur jus et commencent à dorer. Incorporez le persil, poursuivez la cuisson 30 secondes de plus, puis transférez le tout dans un plat.

4 Versez le bouillon dans une casserole. Ajoutez l'eau de trempage des champignons séchés et laissez frémir ce bouillon jusqu'au moment de l'utiliser.

6 Versez le vin dans la sauteuse, puis augmentez légèrement le feu et faites cuire à feu moyen jusqu'à ce qu'il s'évapore.

7 Ajoutez 1 louche de bouillon frémissant. Poursuivez la cuisson du riz à feu moyen jusqu'à ce que tout le bouillon soit absorbé, en remuant le riz avec une cuillère en bois pour éviter qu'il ne colle à la cocotte. Versez encore un peu de bouillon, et remuez à nouveau jusqu'à sa complète absorption. Répétez l'opération plusieurs fois. Au bout d'une vingtaine de minutes, goûtez le riz. Salez et poivrez.

8 Le temps de cuisson total du risotto se situe entre 20 et 35 minutes. Si vous avez épuisé tout votre bouillon, continuez avec de l'eau bouillante jusqu'à ce que le riz soit *al dente*, c'est-à-dire tendre, mais encore ferme.

9 Retirez le risotto du feu. Ajoutez le reste de beurre et le parmesan et mélangez bien. Parsemez d'un peu de poivre noir fraîchement moulu et vérifiez que le plat est assez salé. Laissez reposer le risotto 3 à 4 minutes avant de le servir, garni d'1 brin de persil plat.

1 Mettez les champignons séchés dans un bol contenant environ 350 ml • 1¹/₂ tasses d'eau tiède. Laissez-les tremper pendant au moins 40 minutes, puis rincez-les bien. Filtrez l'eau de trempage dans un chinois tapissé de papier absorbant et réservez-la.

2 Essuyez les champignons frais avec un torchon humide et émincez-les finement. Mettez-les dans un saladier, arrosez-les de jus de citron et mélangez.

5 Chauffez le deuxième tiers du beurre avec l'huile d'olive dans la sauteuse ou la cocotte où vous aviez fait sauter les champignons frais. Ajoutez l'oignon et faites-le revenir jusqu'à ce qu'il soit fondant et doré. Incorporez le riz, et faites-le revenir en remuant constamment pendant 1 à 2 minutes pour que les grains soient bien enrobés de matière grasse. Incorporez les champignons séchés que vous avez fait tremper et les champignons frais sautés, et mélangez bien.

Biryani aux aubergines, navets et noix de cajou

Voici un plat rempli des saveurs de l'Inde et qui convient bien pour les froides soirées d'hiver.

INGRÉDIENTS

Pour 4 à 6 personnes

1 petite aubergine émincée
275 g • 10 oz de riz basmati
3 navets
3 oignons
2 gousses d'ail
1 morceau de gingembre frais de 2,5 cm •
   1 pouce de long environ, pelé
environ 60 ml • 4 cuil. à table d'huile végétale
175 g • 6 oz de noix de cajou non salées
40 g • 1¹⁄₂ oz de raisins secs
1 poivron rouge égrené et émincé
5 ml • 1 cuil. à thé de cumin en poudre
5 ml • 1 cuil. à thé de coriandre en poudre
2. 5ml • ¹⁄₂ cuil. à thé de piment en poudre
120 ml • 4 oz • ¹⁄₂ tasse de yaourt nature
300 ml • 1¹⁄₄ tasses de bouillon de légumes
25 g • 1 oz • 2 cuil. à table de beurre
sel et poivre noir fraîchement moulu
2 œufs durs coupés en quatre et quelques
   brins de coriandre fraîche pour garnir

3 Émincez finement les oignons restants. Chauffez 45 ml • 3 cuil. à table d'huile dans une grande cocotte et faites revenir les oignons à petit feu pendant 10 à 15 minutes, jusqu'à ce qu'ils soient fondants et bien dorés. Retirez-les et égouttez-les.

4 Ajoutez 40 g • 1¹⁄₂ oz de noix de cajou dans la cocotte et faites-les sauter pendant 2 minutes, en veillant à ne pas les faire brûler. Mettez les raisins secs à rissoler jusqu'à ce qu'ils gonflent. Retirez-les et égouttez-les sur de l'essuie-tout.

1 Saupoudrez les rondelles d'aubergine de sel et laissez-les dégorger 30 minutes. Rincez-les, essuyez-les et recoupez-les en petits morceaux.

2 Faites tremper le riz dans un saladier d'eau froide 40 minutes. Pelez les navets, puis coupez-les en morceaux d'1 cm • ¹⁄₂ pouce de côté. Mélangez l'ail, 1 oignon et le gingembre dans un mixer. Ajoutez 30 à 45 ml • 2 à 3 cuil. à table d'eau et mixez à nouveau, de façon à obtenir une pâte.

5 Incorporez les morceaux d'aubergine et de poivron et faites-les sauter pendant 4 à 5 minutes. Égouttez-les ensuite sur de l'essuie-tout. Mettez enfin à revenir les navets pendant 4 à 5 minutes, puis ajoutez le reste des noix de cajou et poursuivez la cuisson 1 minute supplémentaire. Transférez les navets sur l'assiette contenant l'aubergine et réservez.

6 Versez la dernière cuillerée à table (15 ml) d'huile dans la cocotte, puis ajoutez l'oignon, l'ail et le gingembre mixés. Faites revenir à feu moyen pendant 4 à 5 minutes tout en remuant jusqu'à ce que la pâte soit bien dorée. Incorporez le cumin, la coriandre et le piment en poudre, et poursuivez la cuisson 1 minute en remuant constamment. Baissez ensuite le feu et ajoutez le yaourt.

7 Portez lentement le mélange à ébullition, puis ajoutez le bouillon, les navets, l'aubergine et le poivron. Salez, poivrez, puis couvrez et laissez mijoter pendant 30 à 40 minutes, jusqu'à ce que les navets soient tendres, puis transférez le tout dans une cocotte allant au four.

8 Préchauffez le four à 150°C • 300°F. Égouttez le riz et mettez-le dans une casserole contenant 300 ml • 1¹⁄₄ tasses d'eau bouillante salée. Faites-le cuire à petit feu pendant 5 à 6 minutes, jusqu'à ce qu'il soit tendre.

9 Égouttez le riz et versez-le sur les légumes. Faites une cheminée dans le riz en y plantant le manche d'une cuillère en bois. Ajoutez les oignons, les noix de cajou et les raisins secs que vous aviez fait sauter et réservés, puis parsemez le tout de quelques noisettes de beurre. Couvrez d'une double épaisseur de papier d'aluminium que vous maintenez en place avec le couvercle de la cocotte.

10 Terminez la cuisson au four pendant 35 à 40 minutes. Servez le biryani dans un plat préchauffé, garni de quartiers d'œufs durs et de brins de coriandre fraîche.

Risotto aux poireaux et aux champignons

Un risotto très parfumé, idéal pour un dîner entre amis.

Pour 4 personnes

225 g • 8 oz de poireaux

225 g • 8 oz de champignons
   (des rosés des prés si possible)

30 ml • 2 cuil. à table d'huile d'olive

3 gousses d'ail pressées

75 g • 3 oz • 6 cuil. à table de beurre

1 gros oignon grossièrement haché

350 g • 1³/₄ tasses de riz arborio ou de riz
   complet

1,2 l • 5 tasses de bouillon de légumes très
   chaud

le zeste râpé et le jus d'un citron

50 g • ²/₃ tasse de parmesan fraîchement râpé

60 ml • 4 cuil. à table d'un mélange de
   ciboulette et de persil plat frais hachés

sel et poivre noir fraîchement moulu

quelques quartiers de citron et quelques
   brins de persil plat frais pour servir

1 Lavez bien les poireaux, puis coupez-les en deux dans le sens de la longueur et hachez-les grossièrement. Essuyez ensuite les champignons avec de l'essuie-tout et hachez-les grossièrement.

VARIANTE

Pour un goût plus acidulé, vous pouvez remplacer le citron jaune par un citron vert.

2 Chauffez l'huile dans une grande casserole et faites revenir l'ail pendant une minute. Ajoutez les poireaux et les champignons, puis salez et poivrez abondamment et faites sauter le tout à feu moyen pendant une dizaine de minutes, jusqu'à ce que les légumes soient tendres et dorés. Retirez de la casserole et réservez.

3 Mettez 25 g • 2 cuil. à table de beurre dans la casserole et faites revenir l'oignon à feu moyen pendant 5 minutes.

4 Ajoutez le riz et faites-le revenir 1 minute en remuant bien. Ajoutez 1 louche de bouillon et poursuivez la cuisson à feu doux, en remuant de temps en temps, jusqu'à ce que tout le liquide soit absorbé.

5 Rajoutez du bouillon à chaque fois que la louche précédente a été entièrement absorbée. Cette opération doit durer en tout 20 à 25 minutes. Le risotto va épaissir et devenir crémeux, et le riz doit être tendre sans être collant pour autant.

6 Juste avant de servir, ajoutez les poireaux, les champignons, le reste de beurre, le zeste de citron et 45 ml • 3 cuil. à table de jus de citron, ainsi que la moitié du parmesan et des aromates. Vérifiez l'assaisonnement et servez, parsemé du reste de parmesan et des aromates. Garnissez avec des quartiers de citron et quelques brins de persil plat.

Risotto à la milanaise

Ce risotto italien traditionnel est délicieusement parfumé avec l'ail, le parmesan et le persil frais.

Pour 4 personnes

2 gousses d'ail pressées
60 ml • 4 cuil. à table de persil frais haché
le zeste finement râpé d'1 citron

<u>Pour le risotto</u>

5 ml • 1 cuil. à thé de filaments de safran
25 g • 1 oz • 2 cuil. à table de beurre
1 gros oignon finement haché
275 g • 1¹/₂ tasses de riz arborio ou de riz
    complet
150 ml • ²/₃ tasse de vin blanc sec
1 l • 4 tasses de bouillon de légumes
sel et poivre noir fraîchement moulu
copeaux de parmesan pour servir

1 Mélangez l'ail, le persil et le zeste de citron dans un bol et réservez.

2 Préparez le risotto : mettez le safran dans un bol avec 15 ml • 1 cuil. à table d'eau bouillante et laissez infuser. Faites fondre le beurre dans une sauteuse à fond épais et faites revenir l'oignon à petit feu pendant 5 minutes, jusqu'à ce qu'il soit fondant et doré.

3 Ajoutez le riz et faites-le revenir pendant 2 minutes, jusqu'à ce qu'il soit translucide. Versez le vin et l'eau safranée, puis poursuivez la cuisson jusqu'à totale absorption du vin.

4 Versez 600 ml • 2¹/₂ tasses de bouillon et faites mijoter le tout à petit feu, en remuant fréquemment, jusqu'à ce que le bouillon soit entièrement absorbé.

5 Rajoutez du bouillon ainsi petit à petit, jusqu'à ce que le riz soit tendre (le riz sera peut-être tendre avant que vous ayez utilisé tout votre bouillon, aussi est-il préférable d'en verser peu à la fois en fin de cuisson).

6 Salez et poivrez le risotto, puis transférez-le dans un plat. Garnissez-le abondamment de copeaux de parmesan, puis couronnez-le avec la préparation à base d'ail et de persil réservée à cet effet.

Chili végétarien

Cette variante végétarienne du chili con carne est délicieuse accompagnée de riz complet.

INGRÉDIENTS

Pour 4 personnes

2 oignons hachés

1 gousse d'ail pressée

3 branches de céleri hachées

1 poivron vert égrené et coupé en dés

225 g • 8 oz de champignons frais émincés

2 courgettes émincées

400 g • 14 oz de haricots rouges en boîte rincés et égouttés

400 g • 14 oz de tomates concassées en boîte

150 ml • 2/3 tasse de passata (coulis de tomates)

30 ml • 2 cuil. à table de concentré de tomates

15 ml • 1 cuil. à table de ketchup

5 ml • 1 cuil. à thé de piment fort, de cumin et de coriandre en poudre

sel et poivre noir fraîchement moulu

yaourt nature et piment de Cayenne pour servir

quelques brins de coriandre fraîche pour garnir

2 Ajoutez les haricots rouges, les tomates, la passata, le concentré de tomates et le ketchup.

3 Incorporez les épices, puis salez, poivrez et mélangez bien.

4 Couvrez, portez à ébullition, puis laissez mijoter pendant 20 à 30 minutes en remuant de temps en temps, jusqu'à ce que les légumes soient tendres. Servez saupoudré de piment de Cayenne, garni de coriandre fraîche et accompagné de yaourt nature.

1 Mettez les oignons, l'ail, le céleri, le poivron vert, les champignons et les courgettes dans une grande casserole et mélangez.

Pâtes complètes au chou

Parfumés au carvi, un chou blanc et des choux de Bruxelles bien croquants se marient parfaitement avec des pâtes.

Pour 6 personnes

90 ml • 6 cuil. à table d'huile d'olive
    ou de tournesol

3 oignons grossièrement hachés

350 g • 12 oz de chou blanc grossièrement
    haché

350 g • 12 oz de choux de Bruxelles triés
    et coupés en deux

10 ml • 2 cuil. à thé de graines de carvi

15 ml • 1 cuil. à table d'aneth frais haché

400 ml • 1²/₃ tasses de bouillon de légumes

200 g • 7 oz • 1³/₄ tasses de torsades
    complètes, fraîches ou sèches

sel et poivre noir fraîchement moulu

quelques brins d'aneth frais pour garnir

1 Chauffez l'huile dans une grande casserole et faites revenir les oignons à feu doux 10 minutes, jusqu'à ce qu'ils soient fondants.

2 Faites sauter le chou blanc et les choux de Bruxelles 2 à 3 minutes, puis ajoutez les graines de carvi et l'aneth. Versez le bouillon, salez et poivrez, puis couvrez et laissez mijoter le tout pendant 5 à 10 minutes, jusqu'à ce que les choux soient tendres mais encore croquants.

3 Pendant ce temps, faites cuire les pâtes dans une casserole d'eau bouillante légèrement salée, en suivant les instructions de l'emballage.

4 Égouttez les pâtes, versez-les dans un plat et ajoutez le chou. Mélangez délicatement le tout, rectifiez l'assaisonnement, garnissez d'aneth et servez immédiatement.

Chou-fleur et brocolis à la sauce tomate

Voici une recette colorée et parfumée qui vous changera du traditionnel gratin de chou-fleur.

Pour 6 personnes

1 oignon finement haché

400 g • 14 oz de tomates concassées en boîte

45 ml • 3 cuil. à table de concentré de tomates

20 g • ³/₄ oz • 3 cuil. à table de farine complète

300 ml • 1¹/₄ tasses de lait écrémé

300 ml • 1¹/₄ tasses d'eau

1 kg • 2¹/₄ lb • 6 tasses de chou-fleur et de
    brocolis mélangés

sel et poivre noir fraîchement moulu

1 Mélangez l'oignon, les tomates concassées et le concentré de tomates dans une petite casserole. Portez à ébullition, puis baissez le feu et laissez mijoter doucement pendant 15 à 20 minutes.

2 Diluez la farine dans un peu de lait de façon à obtenir une pâte. Ajoutez cette pâte à la sauce tomate, puis versez petit à petit le reste de lait et l'eau.

3 Remuez constamment la sauce jusqu'à ce qu'elle bout et qu'elle épaississe. Salez et poivrez. Maintenez la sauce au chaud.

4 Faites cuire le chou-fleur et les brocolis à la vapeur pendant 5 à 7 minutes, jusqu'à ce que les fleurettes soient juste tendres. Disposez-les dans un plat, nappez de sauce tomate et servez saupoudré d'un peu plus de poivre, si vous le souhaitez.

Pâtes à la sauce bolognaise aux champignons

Voici une variante végétarienne
très parfumée et vite faite de
la sauce bolognaise classique.

INGRÉDIENTS

Pour 4 personnes

450 g • 1 lb de champignons de Paris
15 ml • 1 cuil. à table d'huile d'olive
1 oignon haché
1 gousse d'ail pressée
15 ml • 1 cuil. à table de concentré de tomates
400 g • 14 oz de tomates concassées en boîte
45 ml • 3 cuil. à table d'origan frais haché
450 g • 1 lb de pâtes fraîches
sel et poivre noir fraîchement moulu
parmesan pour servir

1 Triez bien les champignons, puis coupez-les en quatre.

LE CONSEIL DU CHEF

Si vous préférez utiliser des pâtes sèches, il vous en faudra 350 g. • 12 oz Commencez par les faire cuire. En effet, leur temps de cuisson est de 10 à 12 minutes, ce qui vous laisse le temps de préparer la sauce aux champignons.

2 Chauffez l'huile dans une grande casserole. Mettez l'oignon haché à revenir 2 à 3 minutes.

3 Ajoutez les champignons et faites-les sauter à feu vif pendant 3 à 4 minutes, en remuant de temps en temps.

4 Incorporez le concentré de tomates, les tomates concassées et 15 ml • 1 cuil. à table d'origan. Baissez le feu, couvrez puis laissez mijoter pendant 5 minutes envir •

5 Pendant ce temps, faites cuire les pâtes dans une grande casserole d'eau salée bouillante, 2 à 3 minutes, jusqu'à ce qu'elles soient *al dente*.

6 Salez et poivrez la sauce bolognaise. Égouttez les pâtes, versez-les dans un plat et ajoutez la sauce. Mélangez bien, puis servez directement dans les assiettes, parsemé de copeaux de parmesan frais et du reste d'origan frais haché.

Cannellonis aux brocolis et à la ricotta

Une recette délicieuse qui impressionnera vos convives, mais qui est en fait assez simple et rapide à préparer.

Pour 4 personnes

10 ml • 2 cuil. à thé d'huile d'olive

12 cannellonis séchés à farcir
   de 7,5 cm • 3 pouces de long

450 g • 1 lb • 4 tasses de fleurettes de brocolis

75 g • 3 oz • 1¹/₂ tasses de miettes de pain frais

150 ml • ²/₃ tasse de lait

60 ml • 4 cuil. à table d'huile, plus de quoi
   badigeonner les cannellonis

225 g • 8 oz • 1 tasse de ricotta

1 pincée de noix de muscade râpée

90 ml • 6 cuil. à table de parmesan
   ou de pecorino, râpé

30 ml • 2 cuil. à table de pignons

sel et poivre noir fraîchement moulu

<u>Pour la sauce tomate</u>

30 ml • 2 cuil. à table d'huile d'olive

1 oignon finement haché

1 gousse d'ail pressée

800 g • 14 oz de tomates concassées en boîte

15 ml • 1 cuil. à table de concentré de tomates

4 olives noires dénoyautées et hachées

5 ml • 1 cuil. à thé de thym séché

1 Préchauffez le four à 190°C • 375°F. Graissez légèrement 4 petits plats à four avec de l'huile d'olive.

2 Portez une grande casserole d'eau à ébullition, ajoutez un peu d'huile d'olive pour éviter que les pâtes collent, puis mettez à cuire les cannellonis, sans couvrir, pendant 6 à 7 minutes, jusqu'à ce qu'ils soient presque cuits.

3 Dans le même temps, faites cuire les brocolis à la vapeur ou faites-les blanchir jusqu'à ce qu'ils soient tendres. Égouttez les pâtes, rincez-les à l'eau froide et réservez. Égouttez les brocolis et laissez-les refroidir. Mettez-les ensuite dans le bol d'un mixer et réduisez-les en purée. Réservez.

4 Mettez les miettes de pain dans un saladier, puis versez le lait et l'huile et mélangez le tout. Ajoutez ensuite la ricotta, la purée de brocolis, la muscade et 60 ml • 4 cuil. à table de parmesan ou de pecorino râpé. Salez, poivrez, puis réservez.

5 Préparez la sauce : chauffez l'huile dans une poêle et mettez à revenir l'ail et l'oignon pendant 5 à 6 minutes, jusqu'à ce qu'ils soient fondants. Ajoutez ensuite les tomates concassées, le concentré de tomates, les olives noires et le thym. Salez et poivrez. Portez à ébullition, laissez bouillir rapidement pendant 2 à 3 minutes, puis répartissez la sauce dans les 4 plats à four.

6 Versez la farce au fromage et aux brocolis dans une poche équipée d'une douille simple d'1 cm • ¹/₂ pouce de diamètre. Ouvrez délicatement les cannellonis. En les posant verticalement sur un plan de travail, remplissez-les de farce à l'aide de la poche à douille. Répartissez les cannellonis dans les 4 plats à four en les posant en biais sur le lit de sauce tomate.

7 Badigeonnez les cannellonis d'un peu d'huile d'olive et parsemez-les de pignons. Terminez par le reste de parmesan ou de pecorino râpé, puis faites-les cuire au four 25 à 30 minutes, jusqu'à ce qu'ils soient bien dorés.

LE CONSEIL DU CHEF

Si vous ne trouvez pas de cannellonis à farcir, vous pouvez les remplacer par des lasagnes. Faites cuire des plaques de lasagnes *al dente*. Étalez ensuite la farce le long de l'un des petits côtés de chaque plaque de lasagne, puis enroulez-les autour de la farce.

Tofu sauté aux légumes

*Ce sauté de tofu aux légumes
haut en couleur est parfait pour
accompagner des nouilles chinoises
ou du riz cantonais.*

INGRÉDIENTS

Pour 4 personnes

10 ml • 2 cuil. à thé de cumin en poudre

15 ml • 1 cuil. à table de paprika

5 ml • 1 cuil. à thé de gingembre en poudre

1 bonne pincée de piment de Cayenne

15 ml • 1 cuil. à table de sucre en poudre

275 g • 10 oz de tofu

60 ml • 4 cuil. à table d'huile

2 gousses d'ail pressées

1 bouquet d'oignons nouveaux émincés

1 poivron rouge égrené et émincé

1 poivron jaune égrené et émincé

225 g • 3 tasses de champignons rosés des
      prés coupés en deux ou en quatre si
      besoin est

1 grosse courgette émincée

125 g • 4 oz de haricots verts fins coupés en deux

50 g • 2 oz • 1/2 tasse de pignons

15 ml • 1 cuil. à table de jus de citron vert

15 ml • 1 cuil. à table de miel liquide

sel et poivre

1 Mélangez le cumin, le paprika,
le gingembre, le piment de
Cayenne et le sucre, puis salez et
poivrez abondamment. Coupez le
tofu en dés que vous enrobez de ce
mélange d'épices.

2 Chauffez un peu d'huile dans un
wok ou une grande poêle. Faites
revenir le tofu à feu vif pendant 3 à
4 minutes, en le retournant de temps
en temps (attention de ne pas
l'émietter). Retirez-le du wok avec
une écumoire ou une spatule à
fentes, puis essuyez le wok avec de
l'essuie-tout.

3 Versez le reste d'huile dans le
wok et mettez à revenir l'ail et
les oignons 3 minutes. Ajoutez les
légumes restants et faites-les sauter à
feu moyen 6 minutes environ, jusqu'à ce qu'ils commencent à ramollir
et à dorer. Salez et poivrez.

4 Remettez le tofu dans le wok avec
les pignons, le jus de citron vert
et le miel. Réchauffez l'ensemble et
servez immédiatement.

Pizzas au potiron et à la sauge

L'association du potiron, de la sauge et du fromage de chèvre est un véritable régal.

INGRÉDIENTS

Pour 4 personnes

2.5 ml • ¹/₂ cuil. à thé de levure de
   boulangerie sèche
1 pincée de sucre cristallisé
450 g • 1 lb • 4 tasses de farine
5 ml • 1 cuil. à thé de sel
15 g • ¹/₂ oz • 1 cuil. à table de beurre
30 ml • 2 cuil. à table d'huile d'olive
2 échalotes finement hachées
450 g • 1 lb environ de potiron pelé,
   égrené et coupé en dés
16 feuilles de sauge
sauce tomate toute prête
120 g • ¹/₂ tasse de mozzarella coupée en tranches
120 g • ¹/₂ tasse de fromage de chèvre ferme
sel et poivre noir fraîchement moulu

1 Mettez 300 ml • 1¹/₄ tasses d'eau tiède dans un verre gradué. Ajoutez la levure et le sucre et laissez reposer pendant 5 à 10 minutes, jusqu'à ce que le mélange se mette à mousser.

2 Tamisez la farine et le sel dans une terrine et disposez-les en puits. Versez-y petit à petit le levain et l'huile d'olive, et mélangez le tout de façon à obtenir une pâte homogène. Pétrissez ensuite la pâte sur un plan de travail légèrement fariné pendant une dizaine de minutes, de façon qu'elle soit souple et élastique. Mettez-la enfin dans un saladier fariné, couvrez et laissez-la lever au chaud pendant 1 heure et demie.

3 Préchauffez le four à 200°C • 400°F. Huilez 4 plaques à pâtisserie. Versez le beurre et l'huile dans un plat à four et enfournez pendant quelques minutes. Ajoutez les échalotes, le potiron et la moitié des feuilles de sauge. Mélangez le tout pour bien enrober les légumes de matière grasse, puis faites-les cuire au four pendant 15 à 20 minutes, jusqu'à ce qu'ils soient tendres.

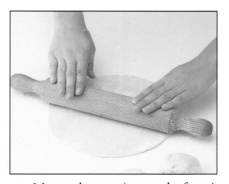

4 Montez la température du four à 220°C • 425°F. Divisez la pâte en 4 parts égales, puis étalez chacune au rouleau sur un plan de travail légèrement fariné, de façon à obtenir 4 disques de 25 cm • 10 pouces de diamètre.

5 Faites glisser chaque disque de pâte sur une plaque à pâtisserie et tartinez-le de sauce tomate, en laissant nue une bordure de 1 cm • ¹/₂ pouce tout autour. Disposez ensuite le mélange potiron-échalotes sur la sauce tomate.

6 Placez les tranches de mozzarella sur le potiron, puis émiettez le fromage de chèvre dessus. Éparpillez les feuilles de sauge restantes, puis salez et poivrez généreusement. Faites cuire au four 15 à 20 minutes, jusqu'à ce que le fromage ait fondu et que la croûte soit bien dorée.

Calzone aux aubergines et aux échalotes

Voici une garniture originale pour une pizza calzone. Ajoutez plus ou moins de piment rouge selon votre goût.

INGRÉDIENTS

Pour 2 personnes

1 bonne pincée de levure de boulangerie sèche

1 pincée de sucre cristallisé

225 g • 8 oz • 2 tasses de farine

5 ml • 1 cuil. à thé de sel

60 ml • 4 cuil. à table d'huile d'olive

4 mini-aubergines

3 échalotes hachées

1 gousse d'ail hachée

50 g • 2 oz de tomates séchées au soleil conservées dans l'huile, hachées

1 bonne pincée de piment rouge

10 ml • 2 cuil. à thé de thym frais haché

75 g • 3 oz de mozzarella coupée en dés

sel et poivre noir fraîchement moulu

15 à 30 ml • 1 à 2 cuil. à table de parmesan fraîchement râpé pour servir

1 Préparez la pâte : mettez 150 ml • ²/₃ tasse d'eau tiède dans un verre gradué, puis ajoutez la levure et le sucre et laissez reposer pendant 5 à 10 minutes, jusqu'à ce que le mélange commence à mousser.

2 Tamisez la farine et le sel dans une terrine et disposez-les en puits. Versez petit à petit le levain et une cuillerée à table (15 ml) d'huile, puis mélangez le tout de façon à obtenir une pâte homogène. Pétrissez la pâte sur un plan de travail légèrement fariné pendant 10 minutes jusqu'à ce qu'elle soit bien souple et élastique.

3 Mettez la pâte dans un bol fariné, couvrez et laissez-la lever au chaud pendant 1 heure et demie. Préchauffez le four à 220°C • 425°F. Triez les aubergines, puis coupez-les en dés.

4 Chauffez 15 ml • 1 cuil. à table d'huile dans une poêle et faites revenir les échalotes jusqu'à ce qu'elles soient fondantes. Ajoutez les aubergines, l'ail, les tomates séchées, le piment et le thym. Salez et poivrez, puis faites sauter le tout pendant 4 à 5 minutes en remuant fréquemment, jusqu'à ce que les aubergines commencent à ramollir.

5 Divisez la pâte à pizza en deux, puis étalez chaque moitié au rouleau sur un plan de travail légèrement fariné de façon à obtenir 2 disques de 18 cm • 7 pouces de diamètre.

6 Étalez la préparation à base d'aubergines sur la moitié de chaque disque de pâte, en laissant nu un bord de 2,5 cm • 1 pouce. Parsemez de mozzarella.

7 Mouillez les bords du disque de pâte avec de l'eau, puis repliez la seconde moitié de pâte sur la garniture. Appuyez fermement sur les bords pour bien refermer le chausson. Mettez ensuite les calzone sur deux plaques à pâtisserie graissées.

8 Badigeonnez le dessus des pizzas avec la moitié de l'huile restante, puis faites un petit trou au milieu de chaque chausson pour laisser s'échapper la vapeur. Faites-les cuire au four pendant 15 à 20 minutes, jusqu'à ce qu'ils soient bien dorés. Sortez-les du four, puis enduisez-les du reste d'huile. Parsemez de parmesan râpé et servez immédiatement.

Raviolis aux épinards et à la ricotta

Pour confectionner des raviolis, on peut imaginer toutes sortes de farces à base de légumes ou de fromage. En voici une particulièrement facile à préparer.

INGRÉDIENTS

Pour 4 personnes

400 g • 14 oz d'épinards frais
   ou 175 g • 6 oz d'épinards surgelés
175 g • 6 oz • ³/4 tasse de ricotta
1 œuf
50 g • 2 oz • ¹/2 tasse de parmesan râpé
1 pincée de noix de muscade râpée
sel et poivre noir fraîchement moulu

Pour la pâte

210 g • 7¹/2 oz • 1¹/2 tasses de farine
3 œufs

Pour la sauce

75 g • 3 oz • 6 cuil. à table de beurre
5 à 6 brins de sauge fraîche

1 Lavez les épinards frais en changeant l'eau plusieurs fois. Mettez-les ensuite dans une casserole et faites-les cuire à couvert pendant 5 minutes environ, jusqu'à ce qu'ils soient tendres. Égouttez-les. Pour la cuisson des épinards surgelés, suivez les instructions de l'emballage. Une fois froids, pressez-les épinards pour en exprimer le plus de liquide possible, puis hachez-les finement.

2 Mélangez les épinards hachés avec la ricotta, l'œuf, le parmesan et la muscade. Salez, poivrez, puis couvrez et réservez.

3 Préparez la pâte : versez la farine au centre du plan de travail en formant un puits. Cassez-les œufs à l'intérieur et ajoutez 1 pincée de sel.

4 Commencez à battre les œufs à la fourchette, en incorporant peu à peu la farine des parois intérieures du puits. Lorsque la pâte épaissit, commencez à la mélanger avec les mains.

5 Incorporez le plus de farine possible jusqu'à obtention d'une pâte encore grumeleuse. Si elle colle aux doigts, rajoutez un peu de farine. Réservez la pâte et raclez le plan de travail pour éliminer les restes de pâte.

6 Farinez ensuite légèrement le plan de travail et pétrissez la pâte. Travaillez-la pendant une dizaine de minutes, jusqu'à ce qu'elle soit bien souple et homogène.

7 Divisez la pâte en 2 parts égales. Farinez votre rouleau à pâtisserie et le plan de travail. Aplatissez la pâte à la main en une sorte de galette et commencez à l'étaler au rouleau de façon à obtenir un disque plat. Continuez à l'étaler jusqu'à ce que le disque de pâte mesure 3 mm • ¹/8 pouce d'épaisseur environ. Faites de même avec la seconde part de pâte. Découpez chaque pâte en bandes.

8 Déposez de petites cuillerées de farce tous les 5 cm • 2 pouces le long de chaque bande de pâte. Recouvrez le tout d'une deuxième bande de pâte, en appuyant délicatement pour chasser les éventuelles bulles d'air.

9 À l'aide d'une roulette cannelée, découpez la pâte en petites poches carrées contenant chacune un peu de farce. Si les bords ne collent pas bien, mouillez-les avec un peu d'eau ou de lait et appuyez fermement.

10 Mettez les raviolis sur un plan de travail légèrement fariné et laissez-les sécher pendant au moins une demi-heure. Retournez-les de temps en temps pour qu'ils sèchent bien des deux côtés. Portez une grande casserole d'eau salée à ébullition.

11 Chauffez le beurre avec les feuilles de sauge à feu très doux, en veillant à ce que le beurre fonde mais ne roussisse pas.

12 Plongez les raviolis dans l'eau bouillante. Remuez délicatement pour qu'ils ne collent pas les uns aux autres. Ils cuisent en très peu de temps, 4 à 5 minutes. Égouttez-les ensuite délicatement et disposez-les sur les assiettes des convives. Versez un peu de beurre à la sauge dessus et servez immédiatement.

Raviolis à la coriandre fourrés au potiron

*Des raviolis très originaux
qui allient une pâte aux aromates
frais et une farce crémeuse
au potiron et à l'ail.*

INGRÉDIENTS

Pour 4 à 6 personnes

200 g • 7 oz • 1 tasse de farine bise

2 œufs

1 pincée de sel

45 ml • 3 cuil. à table de coriandre fraîche
hachée

quelques brins de coriandre fraîche
pour garnir

Pour la farce

4 gousses d'ail en chemise

450 g • 1 lb de potiron pelé et égrené

120 g • 4 oz • ¹/₂ tasse de ricotta

4 moitiés de tomates séchées au soleil
conservées dans l'huile, égouttées
et finement hachées (réservez 30 ml •
2 cuil. à table de cette huile)

poivre noir fraîchement moulu

1 Mixez ensemble la farine, les œufs, le sel et la coriandre, jusqu'à ce que tous les ingrédients soient bien mélangés.

2 Pétrissez la pâte à la main sur un plan de travail légèrement fariné.

3 Enveloppez la pâte dans un morceau de film alimentaire transparent et laissez-la reposer au réfrigérateur pendant 20 à 30 minutes.

4 Préchauffez le four à 200°C • 400°F. Mettez les gousses d'ail sur une plaque à pâtisserie et faites-les cuire au four 10 minutes, jusqu'à ce qu'elles soient fondantes. Faites cuire le potiron à la vapeur pendant 5 à 8 minutes, afin qu'il soit tendre, puis égouttez-le.

5 Pelez les gousses d'ail et écrasez-les avec le potiron. Ajoutez la ricotta et les tomates séchées égouttées, puis passez le tout au presse-purée. Poivrez abondamment.

6 Divisez la pâte en 4 parts égales et aplatissez-les légèrement à la main. À l'aide d'une machine à pâtes réglée sur l'épaisseur de pâte la plus fine, étalez chaque part de pâte. Posez les plaques de pâte sur un torchon et laissez-les sécher légèrement.

7 Avec un emporte-pièce cannelé de 7,5 cm • 3 pouces de diamètre, découpez 36 disques de pâte.

8 Déposez 1 cuillerée à thé de farce au potiron sur 18 disques de pâte, badigeonnez les bords d'un peu d'eau et couvrez chacun d'un autre disque de pâte. Appuyez fermement pour sceller les bords et fermer les raviolis. Portez une grande casserole d'eau salée à ébullition et mettez les raviolis à cuire 3 à 4 minutes. Égouttez-les bien et arrosez-les de l'huile de trempage des tomates séchées. Mélangez, poivrez et servez garni de brins de coriandre fraîche.

VARIANTE

❧

Voici une autre farce au fromage dont vous pouvez garnir ces raviolis à la coriandre : remplacez la ricotta par 25 g • 1 oz de parmesan râpé mélangés à 120 g • 4 oz de fromage frais, type « cottage cheese ». Servez alors les raviolis garnis de copeaux de parmesan.

Purée de lentilles aux œufs

Ce plat original fait un excellent dîner. Pour un goût plus fruité, ajoutez 400 g • 14 oz de crème de marrons non sucrée à la purée de lentilles.

INGRÉDIENTS

Pour 4 personnes

450 g • 1 lb • 2 tasses de lentilles brunes lavées

3 poireaux finement émincés

10 ml • 2 cuil. à thé de graines de coriandre pilées

15 ml • 1 cuil. à table de coriandre fraîche hachée

30 ml • 2 cuil. à table de menthe fraîche hachée

15 ml • 1 cuil. à table de vinaigre de vin rouge

1 l • 4 tasses de bouillon de légumes

4 œufs

sel et poivre noir fraîchement moulu

1 bonne poignée de persil frais haché pour garnir

1 Mettez les lentilles dans une casserole. Ajoutez les poireaux, les graines de coriandre, la coriandre fraîche, la menthe, le vinaigre et le bouillon, puis portez le tout à ébullition. Baissez ensuite le feu et laissez mijoter pendant 30 à 40 minutes, jusqu'à ce que les lentilles soient cuites et qu'elles aient absorbé tout le liquide.

2 Préchauffez le four à 180°C • 305°F.

3 Salez et poivrez la purée de lentilles et mélangez bien. Répartissez la purée dans 4 petits plats à four légèrement graissés.

4 Avec le dos d'une cuillère, creusez un trou dans chaque portion de purée de lentilles. Cassez ensuite 1 œuf dans chacun des trous. Couvrez les plats de papier d'aluminium et faites cuire au four 15 à 20 minutes, jusqu'à ce que le blanc des œufs ait pris, le jaune étant encore liquide. Parsemez abondamment de persil haché et servez immédiatement.

Lentilles aux légumes d'automne

Profitez de la saison des légumes-racines pour préparer ce plat aussi diététique que savoureux.

INGRÉDIENTS

Pour 6 personnes

15 ml • 1 cuil. à table d'huile de tournesol

2 poireaux émincés

1 gousse d'ail pressée

4 branches de céleri hachées

2 carottes émincées

2 navets coupés en dés

1 patate douce coupée en dés

225 g • 8 oz de rutabagas coupés en dés

175 g • 6 oz de lentilles blondes ou vertes

450 g • 1 lb de tomates pelées, égrenées et hachées

15 ml • 1 cuil. à table de thym frais haché

15 ml • 1 cuil. à table de marjolaine fraîche hachée

900 ml • 3³/4 tasses de bouillon de légumes

15 ml • 1 cuil. à table de maïzena

sel et poivre noir fraîchement moulu

quelques brins de thym frais pour garnir

1 Préchauffez le four à 180°C • 350°F. Chauffez l'huile à feu moyen dans une cocotte allant au four. Mettez les poireaux, l'ail et le céleri à revenir à petit feu 3 minutes.

2 Ajoutez les carottes, les navets, la patate douce, les rutabagas, les lentilles, les tomates, les aromates et le bouillon. Salez et poivrez puis mélangez bien. Portez à ébullition, en remuant de temps en temps.

3 Couvrez et faites cuire au four pendant 50 minutes environ, jusqu'à ce que les légumes et les lentilles soient cuits et bien tendres. Sortez la cocotte du four et mélangez bien les ingrédients une ou deux fois pendant la cuisson, pour que tous les légumes cuisent uniformément.

4 Sortez la cocotte du four. Diluez la maïzena dans 45 ml • 3 cuil. à table d'eau. Ajoutez cette préparation dans la cocotte et chauffez en remuant constamment, jusqu'à ce que le mélange se mette à bouillir et qu'il épaississe. Laissez cuire encore deux minutes à petit feu.

5 Servez ce plat de lentilles et de légumes dans des bols ou des assiettes creuses, garni avec des brins de thym frais.

Lasagnes végétariennes

Dans cette délicieuse version végétarienne du célèbre plat italien, les légumes frais, les champignons et les aromates se substituent à la viande.

INGRÉDIENTS

Pour 8 personnes

15 à 18 plaques de lasagnes fraîches ou sèches

30 ml • 2 cuil. à table d'huile d'olive

1 oignon de taille moyenne très finement haché

500 g • 1¼ lb de tomates fraîches ou en boîte, hachées

700 g • 1½ lb de champignons des bois ou de couche frais, ou bien un mélange des deux

75 g • 3 oz • 6 cuil. à table de beurre

2 gousses d'ail finement hachées

le jus d'1/2 citron

1 l • 4 tasses de sauce béchamel toute prête

175 g • 6 oz • 1½ tasses de parmesan ou de gruyère, fraîchement râpé, ou bien un mélange des deux

sel et poivre noir fraîchement moulu

1 Beurrez un grand plat à gratin, de préférence carré ou rectangulaire.

2 Chauffez l'huile dans une petite poêle et faites revenir l'oignon jusqu'à ce qu'il soit translucide. Ajoutez les tomates coupées en petits morceaux et faites-les revenir 6 à 8 minutes en remuant souvent. Salez, poivrez et réservez.

3 Essuyez délicatement les champignons avec un torchon humide, puis émincez-les finement. Chauffez la moitié du beurre dans une poêle et ajoutez les champignons lorsqu'il se met à mousser. Faites-les revenir jusqu'à ce qu'ils commencent à rendre leur eau. Incorporez l'ail et le jus de citron, puis salez et poivrez.

4 Poursuivez la cuisson des champignons jusqu'à ce que presque tout le jus se soit évaporé et qu'ils commencent à roussir. Réservez.

5 Préchauffez le four à 200°C • 400°F. Portez une casserole d'eau à ébullition et mettez un saladier d'eau froide près de la plaque de cuisson. Salez l'eau qui bout à gros bouillons.

6 Plongez 3 ou 4 plaques à lasagnes dans l'eau bouillante salée et laissez-les cuire 30 secondes environ. Sortez-les de l'eau bouillante, plongez-les 30 secondes dans l'eau froide, puis posez-les à plat pour les faire sécher. Procédez ainsi avec les plaques de pâte restantes. Si vous utilisez des plaques de pâte précuites, sautez cette étape.

7 Pour assembler les lasagnes, ayez tous les éléments à portée de main : le plat à gratin, les sauces, les plaques de pâte, les fromages et le beurre. Étalez 1 bonne cuillerée de béchamel au fond du plat. Disposez ensuite une couche de pâte, en recoupant les plaques avec un couteau de façon à recouvrir tout le fond du plat. Recouvrez la pâte d'une fine couche de champignons, puis d'une couche de béchamel. Saupoudrez ensuite avec un peu de fromage râpé.

8 Posez ensuite une seconde couche de pâte, nappez-la de sauce tomate, puis étalez une couche de béchamel. Parsemez de fromage râpé.

9 Répétez cette opération dans le même ordre, en terminant par une couche de pâte nappée de béchamel. Ne superposez pas plus de 6 couches en tout. Utilisez les chutes de pâte pour combler les trous éventuels. Saupoudrez de fromage râpé et parsemez de noisettes de beurre.

10 Faites cuire dans le four préchauffé pendant 20 minutes, puis sortez le plat du four et laissez reposer les lasagnes 5 minutes avant de les servir.

LE CONSEIL DU CHEF

Les pâtes fraîches ne sont pas forcément meilleures que les pâtes sèches, mais elles cuisent beaucoup plus vite car elles contiennent encore un peu d'humidité. Conservez-les toujours au réfrigérateur ou au congélateur jusqu'au moment de les préparer.

Pizza pimentée aux épinards et aux tomates

Cette garniture très parfumée et un peu relevée donne une pizza vivement colorée.

INGRÉDIENTS

Pour 3 personnes

1 ou 2 piments rouges frais

45 ml • 3 cuil. à table d'huile à la tomate (provenant d'un bocal de tomates séchées)

1 oignon haché

2 gousses d'ail hachées

50 g • 2 oz (poids égoutté) de tomates séchées au soleil et conservées dans de l'huile

400 g • 14 oz de tomates concassées en boîte

15 ml • 1 cuil. à table de concentré de tomates

175 g • 6 oz d'épinards frais

1 pâte à pizza de 25 à 30 cm • 10 à 12 pouces de diamètre

75 g • 3 oz de fromage fumé (fromage de Bavière fumé par exemple) râpé

75 g • 3 oz de cantal vieux ou de salers, râpé

sel et poivre noir fraîchement moulu

1 Égrenez les piments et hachez-les finement.

2 Chauffez 30 ml • 2 cuil. à table d'huile à la tomate dans une casserole. Mettez l'oignon, l'ail et les piments à revenir environ 5 minutes, jusqu'à ce qu'ils soient fondants.

3 Hachez grossièrement les tomates séchées. Mettez-les dans la casserole avec les tomates concassées et le concentré de tomates. Salez, poivrez, puis laissez cuire à découvert à petit feu pendant 15 minutes, en remuant de temps en temps.

4 Retirez les côtes des épinards et lavez les feuilles abondamment à l'eau froide. Égouttez-les bien et séchez-les avec de l'essuie-tout. Hachez-les ensuite grossièrement.

5 Ajoutez les épinards à la sauce tomate. Poursuivez la cuisson 5 à 10 minutes, en remuant, jusqu'à ce que les feuilles d'épinards se flétrissent et que le surplus de liquide se soit évaporé. Laissez refroidir.

6 Dans le même temps, préchauffez le four à 220°C • 425°F. Badigeonnez la pâte à pizza avec le reste d'huile à la tomate, puis étalez la garniture. Parsemez ensuite de fromage râpé et faites cuire au four pendant 15 à 20 minutes, jusqu'à ce que la pâte soit dorée et croustillante. Servez immédiatement.

LE CONSEIL DU CHEF

Le fromage fumé utilisé dans cette recette donne un parfum inhabituel à la pizza, qui complète bien la saveur piquante et épicée des piments. Si vous souhaitez renforcer ce goût, rajoutez 75 g • 3 on. de fromage fumé à la place du cantal.

Tagliatelles aux gnocchis aux épinards

Très légers et fondants, les gnocchis accompagnent délicieusement ce plat de pâtes.

Pour 4 à 6 personnes

450 g • 1 lb de tagliatelles de plusieurs couleurs
copeaux de parmesan pour garnir

Pour les gnocchis aux épinards

450 g • 1 lb d'épinards hachés surgelés
1 petit oignon finement haché
1 gousse d'ail pressée
1 bonne pincée de muscade en poudre
400 g • 14 oz de fromage frais allégé
   de type fromage cottage
120 g • 4 oz de miettes de pain sec
75 g • 3 oz de semoule ou de farine
50 g • 2 oz de parmesan râpé
3 blancs d'œufs

Pour la sauce tomate

1 oignon finement haché
1 branche de céleri finement hachée
1 poivron rouge égrené et coupé en dés
1 gousse d'ail pressée
150 ml • 2/3 tasse de bouillon de légumes
400 g • 14 oz de tomates concassées en boîte
15 ml • 1 cuil. à table de concentré de tomates
10 ml • 2 cuil. à thé de sucre en poudre
5 ml • 1 cuil. à thé d'origan séché
sel et poivre noir fraîchement moulu

1 Préparez la sauce tomate : mettez l'oignon, le céleri, le poivron et l'ail hachés dans une casserole anti-adhésive. Versez ensuite le bouillon, puis portez à ébullition et faites cuire le tout pendant 5 minutes, jusqu'à ce que les légumes soient tendres.

2 Ajoutez les tomates concassées, le concentré de tomates, le sucre et l'origan. Salez, poivrez, puis portez à nouveau à ébullition et laissez ensuite mijoter pendant 30 minutes, en remuant de temps en temps, jusqu'à ce que la sauce soit bien épaisse.

3 Mettez les épinards, l'oignon et l'ail dans une casserole, à cuire à couvert, jusqu'à ce que les épinards aient décongelé. Retirez le couvercle et augmentez le feu.

4 Salez, poivrez, ajoutez la muscade, puis laissez refroidir dans un saladier. Incorporez les ingrédients restants et mélangez bien. Confectionnez environ 24 gnocchis ovales et mettez-les au réfrigérateur pendant 30 minutes.

5 Faites cuire les gnocchis dans de l'eau bouillante salée pendant 5 minutes environ. Sortez-les de l'eau avec une écumoire et égouttez-les. Faites cuire les tagliatelles *al dente*. Égouttez-les. Répartissez-les sur les assiettes, puis disposez les gnocchis dessus. Ajoutez un peu de sauce tomate au centre et garnissez avec des copeaux de parmesan.

Pizza aux légumes frais

Vous pouvez préparer cette pizza avec n'importe quel assortiment de légumes frais. Il est préférable dans la plupart des cas de les faire blanchir ou sauter avant de passer la pizza au four.

INGRÉDIENTS

Pour 4 personnes

400 g • 14 oz de tomates olivettes ou Roma pelées, fraîches ou en boîte (pesées entières, mais sans le jus de la boîte)

2 têtes moyennes de brocolis

225 g • 8 oz d'asperges fraîches

2 petites courgettes

75 ml • 5 cuil. à table d'huile d'olive

50 g • 1/3 tasse de petits pois écossés, frais ou surgelés

4 oignons nouveaux émincés

1 pâte à pizza de 25 à 30 cm • 10 à 12 pouces de diamètre

75 g • 1/3 tasse de mozzarella coupée en petits dés

10 feuilles de basilic frais ciselées

2 gousses d'ail finement hachées

sel et poivre noir fraîchement moulu

1 Préchauffez le four à 240°C • 475°F au moins 20 minutes avant de faire cuire la pizza. Passez les tomates au presse-purée équipé de la grille intermédiaire, en raclant bien toute la pulpe.

2 Pelez les tiges des brocolis et des asperges, puis faites-les blanchir avec les courgettes. Égouttez-les. Coupez les brocolis et les asperges en morceaux de la taille d'une bouchée. Émincez les courgettes dans le sens de la longueur.

3 Chauffez 30 ml • 2 cuil. à table d'huile d'olive dans une petite poêle. Ajoutez les petits pois et les oignons et faites-les sauter pendant 5 à 6 minutes, en remuant souvent. Retirez du feu.

4 Étalez la pulpe de tomates sur la pâte à pizza, en laissant une bordure de pâte nue. Disposez ensuite les autres légumes en les répartissant bien sur ce lit de tomates.

5 Parsemez de dés de mozzarella, de basilic, d'ail, puis salez et poivrez. Arrosez avec un filet d'huile d'olive, puis enfournez immédiatement la pizza. Faites-la cuire pendant une vingtaine de minutes, jusqu'à ce que la pâte soit bien dorée et que le fromage ait fondu.

Pizza à la ricotta et à la fontina

La saveur rustique et boisée des champignons complète à merveille les deux fromages crémeux sur cette succulente pizza.

Pour 4 personnes

Pour la pâte

2.5 ml • ¹/₂ cuil. à thé de levure de
  boulangerie sèche

1 pincée de sucre cristallisé

450 g • 1 lb • 4 tasses de farine

5 ml • 1 cuil. à thé de sel

30 ml • 2 cuil. à table d'huile d'olive

Pour la sauce tomate

400 g • 14 oz de tomates concassées en boîte

150 ml • ²/₃ tasse de passata (coulis de tomate)

1 grosse gousse d'ail finement hachée

5 ml • 1 cuil. à thé d'origan séché

1 feuille de laurier

10 ml • 2 cuil. à thé de vinaigre de malt

sel et poivre noir fraîchement moulu

Pour la garniture

30 ml • 2 cuil. à table d'huile d'olive

1 gousse d'ail finement hachée

350 g • 12 oz de champignons de Paris émincés

30 ml • 2 cuil. à table d'origan frais haché,
  plus quelques feuilles entières pour garnir

250 g • 9 oz • 1 tasse de ricotta

225 g • 8 oz de fontina coupé en lamelles

1 Préparez la pâte : mettez 300 ml • 1¹/₄ tasses d'eau tiède dans un verre gradué, ajoutez la levure et le sucre, et laissez reposer pendant 5 à 10 minutes, jusqu'à ce que le mélange commence à mousser.

2 Tamisez la farine et le sel dans une grande terrine et disposez-les en puits. Versez-y petit à petit le levain et l'huile d'olive, et mélangez de façon à obtenir une pâte homogène. Pétrissez la pâte environ 10 minutes sur un plan de travail légèrement fariné, jusqu'à ce qu'elle soit souple et élastique. Laissez-la lever dans un saladier fariné couvert, au chaud pendant 1 heure et demie.

3 Pendant ce temps, préparez la sauce tomate. Mettez tous les ingrédients dans une casserole, couvrez et portez à ébullition. Baissez ensuite le feu, retirez le couvercle et laissez mijoter pendant une vingtaine de minutes, en remuant de temps en temps, jusqu'à ce que la sauce ait bien réduit.

4 Préparez maintenant la garniture : chauffez l'huile dans une poêle, ajoutez-y l'ail et les champignons, salez et poivrez. Faites sauter le tout en remuant pendant 5 minutes, jusqu'à ce que les champignons soient tendres et dorés. Réservez. Préchauffez le four à 220°C • 425°F.

5 Badigeonnez d'huile 4 plaques à pâtisserie. Pétrissez la pâte pendant ·2 minutes, puis divisez-la en 4 parts égales. Étalez chaque part au rouleau en un disque de 25 cm • 10 pouces de diamètre que vous glissez sur une plaque à pâtisserie.

6 Étalez la sauce tomate sur chaque disque de pâte. Badigeonnez la bordure avec un peu d'huile d'olive. Ajoutez les champignons, l'origan et le fromage. Salez, poivrez, puis faites cuire les pizzas pendant 15 minutes environ, jusqu'à ce que la pâte soit dorée et croustillante. Garnissez avec des feuilles d'origan.

LE CONSEIL DU CHEF

Pour congeler ces pizzas, laissez-les refroidir après la cuisson. Une fois à température ambiante, enveloppez-les dans du papier d'aluminium et mettez-les au congélateur. Laissez-les décongeler complètement et passez-les au four avant de les servir.

Chou rouge aux pommes

Ce plat coloré et un peu piquant est parfait en hiver. Servez-le accompagné de pain de seigle.

INGRÉDIENTS

Pour 6 personnes

700 g • 1¹/₂ lb de chou rouge

3 oignons hachés

2 cœurs de fenouil grossièrement hachés

30 ml • 2 cuil. à table de graines de carvi

3 grosses pommes de table acidulées
    ou bien 1 grosse pomme à cuire

300 ml • 1¹/₄ tasses de yaourt nature

15 ml • 1 cuil. à table de sauce crémeuse
    au raifort

sel et poivre noir fraîchement moulu

pain de seigle croustillant pour servir

1 Préchauffez le four à 150°C • 300°F. Émincez finement le chou rouge et jetez les côtes dures. Mélangez-le aux oignons, au fenouil et aux graines de carvi dans une grande terrine. Pelez et évidez les pommes, coupez-les en morceaux et ajoutez-les aux légumes, puis transférez le tout dans une cocotte.

2 Mélangez le yaourt et la sauce au raifort, puis versez cette sauce dans la cocotte. Salez, poivrez, mélangez bien et couvrez hermétiquement.

3 Enfournez la cocotte et laissez cuire 1 heure et demie, en remuant une fois ou deux au cours de la cuisson. Servez bien chaud, accompagné de pain de seigle.

Cœurs d'artichauts aux légumes variés

Un plat de légumes variés cuit au four est une manière simple et rapide de préparer en semaine un plat unique sain et savoureux.

INGRÉDIENTS

Pour 4 personnes

30 ml • 2 cuil. à table d'huile d'olive

700 g • 1¹/₂ lb de fèves surgelées

4 navets pelés et émincés

4 poireaux émincés

1 poivron rouge égrené et émincé

200 g • 7 oz de feuilles d'épinards fraîches
    ou 125 g • 4 oz d'épinards surgelés

800 g • 14 oz de cœurs d'artichauts en
    boîte égouttés

60 ml • 4 cuil. à table de graines de
    potiron

sauce de soja

sel et poivre noir fraîchement moulu

2 Couvrez la cocotte et enfournez-la. Faites cuire les légumes pendant 30 à 40 minutes, jusqu'à ce que les navets soient fondants.

1 Préchauffez le four à 180°C • 350°F. Versez l'huile d'olive dans une cocotte. Faites cuire les fèves pendant une dizaine de minutes dans une casserole d'eau bouillante légèrement salée. Égouttez les fèves et mettez-les dans la cocotte avec les navets, les poireaux, le poivron rouge, les épinards et les cœurs d'artichauts.

3 Ajoutez les graines de potiron et assaisonnez avec de la sauce de soja selon votre goût. Salez, poivrez et servez immédiatement.

Moussaka végétarienne

*Un plat unique très savoureux
à servir avec du bon pain frais
encore chaud.*

INGRÉDIENTS

Pour 6 personnes

450 g • 1 lb d'aubergines coupées en rondelles

125 g • 4 oz de lentilles vertes

600 ml • 2½ tasses de bouillon de légumes

1 feuille de laurier

45 ml • 3 cuil. à table d'huile d'olive

1 oignon émincé

1 gousse d'ail pressée

225 g • 8 oz de champignons émincés

400 g • 14 oz de pois chiches en boîte,
    rincés et égouttés

400 g • 14 oz de tomates concassées en boîte

30 ml • 2 cuil. à table de concentré de tomates

10 ml • 2 cuil. à thé d'herbes de Provence
    séchées

300 ml • 1¼ tasses de yaourt nature

3 œufs

50 g • ½ tasse de cantal vieux ou de salers, râpé

sel et poivre noir fraîchement moulu

quelques brins de persil plat frais
    pour garnir

2 Pendant ce temps, mettez les lentilles, le bouillon et la feuille de laurier dans une casserole, couvrez, portez à ébullition puis laissez cuire à petit feu 20 minutes, jusqu'à ce que les lentilles soient tendres mais ne s'écrasent pas. Égouttez-les bien et gardez-les au chaud.

3 Chauffez 15 ml • 1 cuil. à table d'huile dans une grande sauteuse. Mettez l'oignon et l'ail à revenir 5 minutes, en remuant. Ajoutez les lentilles, les champignons, les pois chiches, les tomates concassées, le concentré de tomates, les herbes de Provence et 45 ml • 3 cuil. à table d'eau. Portez à ébullition, puis couvrez et poursuivez la cuisson à petit feu 10 minutes en remuant de temps en temps.

5 Salez et poivrez la préparation à base de lentilles. Disposez une couche d'aubergines au fond d'un grand plat à gratin, puis nappez-la d'une couche de préparation aux lentilles. Alternez les couches ainsi jusqu'à épuisement des ingrédients.

6 Battez le yaourt avec les œufs, le sel et le poivre, et versez le mélange sur les légumes. Parsemez généreusement de fromage râpé et faites cuire au four pendant 45 minutes environ, jusqu'à ce que le dessus soit bien doré et bouillonnant. Servez immédiatement, garni avec du persil plat.

1 Saupoudrez les rondelles d'aubergines de sel et mettez-les dans une passoire. Couvrez et posez un poids dessus. Laissez-les dégorger pendant au moins 30 minutes, pour éliminer l'amertume.

4 Préchauffez le four à 180°C • 350°F. Rincez les rondelles d'aubergine, égouttez-les et séchez-les. Chauffez le reste d'huile dans une poêle et faites frire les aubergines en plusieurs fois pendant 3 à 4 minutes, en les retournant une fois pour que les deux côtés soient bien dorés.

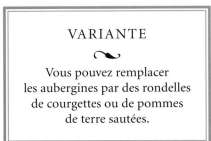

VARIANTE

Vous pouvez remplacer
les aubergines par des rondelles
de courgettes ou de pommes
de terre sautées.

Curry d'aubergines

Une façon simple et rapide de préparer des aubergines qui conservent ainsi toute leur saveur.

INGRÉDIENTS

Pour 4 personnes

2 grosses aubergines,
    de 450 g • 1 lb chacune environ
45 ml • 3 cuil. à table d'huile
2.5 ml • ½ cuil. à thé de graines de moutarde noires
1 bouquet d'oignons nouveaux hachés
125 g • 4 oz de petits champignons de
    Paris coupés en deux
2 gousses d'ail pressées
1 piment rouge frais finement haché
2.5 ml • ½ cuil. à thé de piment en poudre
5 ml • 1 cuil. à thé de cumin en poudre
5 ml • 1 cuil. à thé de coriandre en poudre
1 bonne pincée de curcuma en poudre
5 ml • 1 cuil. à thé de sel
400 g • 14 oz de tomates concassées en boîte
15 ml • 1 cuil. à table de coriandre fraîche hachée
brins de coriandre fraîche pour garnir

1 Préchauffez le four sur 200°C • 400°F Badigeonnez les 2 aubergines avec 15 ml • 1 cuil. à table d'huile et piquez-les à la fourchette. Faites-les cuire au four 30 à 35 minutes, jusqu'à ce qu'elles aient ramolli.

2 Pendant ce temps, chauffez le reste d'huile dans une casserole et faites sauter les graines de moutarde pendant 2 minutes, jusqu'à ce qu'elles commencent à éclater.

3 Ajoutez les oignons, les champignons, l'ail et le piment frais, et faites revenir 5 minutes. Incorporez le piment, le cumin, la coriandre et le curcuma en poudre, salez et poursuivez la cuisson 3 à 4 minutes. Mettez enfin les tomates et laissez cuire à petit feu 5 minutes.

4 Coupez chacune des aubergines en deux dans le sens de la longueur et retirez la chair à l'aide d'une cuillère. Mettez-la dans un saladier et écrasez-la rapidement.

5 Ajoutez la purée d'aubergines et la coriandre fraîche dans la casserole. Portez à ébullition, puis laissez cuire à petit feu 5 minutes, jusqu'à ce que la sauce épaississe. Servez garni de brins de coriandre fraîche.

LE CONSEIL DU CHEF

Si vous voulez réduire la quantité d'huile utilisée, enveloppez les aubergines dans du papier d'aluminium et faites-les cuire au four pendant 1 heure.

Korma végétarien

*Le mélange des épices donne
un curry subtil, très aromatique.*

INGRÉDIENTS

Pour 4 personnes

50 g • 2 oz • 4 cuil.à table de beurre
2 oignons émincés
2 gousses d'ail pressées
1 morceau de gingembre frais
   de 2,5 cm • 1 pouce de long, râpé
5 ml • 1 cuil. à thé de cumin en poudre
15 ml • 1 cuil. à table de coriandre en poudre
6 gousses de cardamome
1 bâton de cannelle de 5 cm • 2 pouces de long
5 ml • 1 cuil. de thé de curcuma en poudre
1 piment rouge frais égrené
   et finement haché
1 pomme de terre pelée et coupée en dés
   de 2,5 cm • 1 pouce de côté
1 petite aubergine hachée
125 g • 4 oz de champignons
   coupés en lamelles épaisses
125 g • 4 oz de haricots verts coupés en
   morceaux de 2,5 cm • 1 pouce de long
60 ml • 4 cuil. à table de yaourt nature
150 ml • 2/3 tasse de crème fraîche épaisse
5 ml • 1 cuil. à thé de garam masala
sel et poivre noir fraîchement moulu
quelques brins de coriandre fraîche
   pour garnir
poppadums (pains indiens non levés)
   pour servir

2 Ajoutez la pomme de terre, l'aubergine et les champignons et environ 200 ml • 3/4 tasse d'eau. Couvrez, portez à ébullition, puis baissez le feu et laissez mijoter 15 minutes. Incorporez les haricots verts et faites-les cuire à découvert pendant 5 minutes.

1 Faites fondre le beurre dans une casserole à fond épais. Mettez les oignons à cuire 5 minutes, jusqu'à ce qu'ils aient ramolli. Ajoutez l'ail et le gingembre, et faites-les revenir 2 minutes, puis incorporez le cumin, la coriandre, la cardamome, le bâton de cannelle, le curcuma et le piment. Poursuivez la cuisson en remuant pendant 30 secondes.

VARIANTE

Vous pouvez utiliser n'importe quel assortiment de légumes pour préparer ce korma, notamment des carottes, du chou-fleur, des brocolis, des petits pois et des pois chiches.

3 Retirez les légumes à l'aide d'une écumoire et transférez-les dans un plat préchauffé. Maintenez-les au chaud. Laissez ensuite frémir le jus de cuisson pour qu'il réduise un peu. Salez, poivrez, puis incorporez le yaourt, la crème fraîche et le garam masala. Versez la sauce sur les légumes et garnissez avec les brins de coriandre fraîche. Servez accompagné de poppadums.

Curry de champignons et de gombos

Ce délicieux curry est accompagné d'une sauce fraîche et relevée à la mangue et au gingembre. L'idéal est de le servir avec du riz basmati nature.

INGRÉDIENTS

Pour 4 personnes

4 gousses d'ail grossièrement hachées

1 morceau de gingembre frais de 2,5 cm • 1
   pouce de long, pelé et grossièrement haché

1 ou 2 piments rouges frais égrenés
   et hachés

170 ml • 6 oz • 3/4 tasse d'eau froide

15 ml • 1 cuil. à table d'huile de tournesol

5 ml • 1 cuil. à thé de graines de coriandre

5 ml • 1 cuil. à thé de graines de cumin

2 gousses de cardamome verte, ouvertes,
   les graines pilées

1 pincée de curcuma en poudre

400 g • 14 oz de tomates concassées en boîte

450 g • 1 lb de champignons coupés en
   quatre s'ils sont gros

225 g • 8 oz de gombos triés et coupés
   en morceaux de 1 cm • 1/2 pouce

30 ml • 2 cuil. à table de coriandre fraîche
   hachée

Pour la sauce à la mangue

1 grosse mangue mûre de 500 g • 11/4 lb
   environ

1 petite gousse d'ail pressée

1 oignon finement haché

10 ml • 2 cuil. à thé de gingembre frais
   râpé

1 piment rouge frais égrené
   et finement haché

1 pincée de sel et de sucre

1 Préparez la sauce à la mangue. Pour ce faire, commencez par peler la mangue et retirer le noyau.

2 Dans un saladier, écrasez la chair de la mangue à la fourchette (vous pouvez aussi la passer au mixer). Mélangez-la ensuite avec les autres ingrédients de la sauce et réservez.

3 Mixez ensemble l'ail, le gingembre, les piments et 45 ml • 3 cuil. à table d'eau froide jusqu'à obtention d'une pâte homogène.

4 Chauffez l'huile de tournesol dans une grosse cocotte, puis ajoutez toutes les graines de coriandre et de cumin. Faites-les revenir quelques secondes avant d'ajouter le cumin en poudre, la cardamome pilée et le curcuma en poudre. Faites revenir ces épices 1 minute de plus.

5 Incorporez la pâte à base d'ail, de gingembre et de piment, les tomates et le reste d'eau. Mélangez bien, puis ajoutez les champignons et les gombos. Remuez à nouveau, puis portez à ébullition. Baissez le feu, couvrez et laissez mijoter 5 minutes.

6 Retirez le couvercle, remontez légèrement le feu et poursuivez la cuisson 5 à 10 minutes, afin que les gombos soient tendres sans s'écraser.

7 Ajoutez la coriandre fraîche et servez accompagné de la sauce à la mangue et de riz blanc.

LE CONSEIL DU CHEF

Lorsque vous achetez des gombos frais, choisissez des gousses fermes et de couleur vive de moins de 10 cm • 4 pouces de long.

Poivrons farcis à la provençale

Les poivrons farcis aux légumes font un excellent dîner léger.

Pour 4 personnes

15 ml • 1 cuil. à table d'huile d'olive

1 oignon rouge émincé

1 courgette coupée en dés

125 g • 4 oz de champignons émincés

1 gousse d'ail pressée

400 g • 14 oz de tomates concassées en boîte

15 ml • 1 cuil. à tablee de concentré de tomates

40 g • 1^1/$_2$ oz • ^{1}/$_3$ tasse de pignons

30 ml • 2 cuil. à table de basilic frais haché

4 gros poivrons jaunes

50 g • 2 oz • ^{1}/$_2$ tasse de fromage râpé

sel et poivre noir fraîchement moulu

feuilles de basilic frais pour garnir

2 Ajoutez les tomates concassées et le concentré de tomates, puis portez à ébullition et laissez frémir à découvert 10 à 15 minutes, en remuant de temps en temps, afin que la farce aux légumes épaississe un peu. Hors du feu, incorporez les pignons et le basilic. Salez et poivrez.

3 Coupez les poivrons en deux dans le sens de la longueur et égrenez-les. Faites-les blanchir dans une casserole d'eau bouillante pendant 3 minutes environ.

4 Mettez les poivrons dans un plat à gratin et garnissez-les avec la farce aux légumes.

5 Recouvrez le plat de papier d'aluminium et faites cuire au four 20 minutes. Retirez le papier d'aluminium, saupoudrez chaque demi-poivron de fromage râpé et enfournez à nouveau. Poursuivez la cuisson 5 à 10 minutes, jusqu'à ce que le fromage soit fondu et qu'il bouillonne. Garnissez de basilic frais et servez.

1 Préchauffez le four à 180°C • 350°F. Chauffez l'huile dans une casserole, ajoutez l'oignon, la courgette, les champignons et l'ail et faites cuire le tout à petit feu 3 minutes, en remuant de temps en temps.

VARIANTE

Vous pouvez utiliser cette garniture pour farcir d'autres légumes, des courgettes ou des aubergines par exemple.

Aubergines et pois chiches épicés à la tomate

Ce plat libanais offre les saveurs d'épices du Moyen-Orient.

INGRÉDIENTS

Pour 4 personnes

3 grosses aubergines coupées en dés
200 g • 7 oz • 1 tasse de pois chiches que vous avez fait tremper toute une nuit
60 ml • 4 cuil. à table d'huile d'olive
3 gousses d'ail hachées
2 gros oignons hachés
2.5 ml • ½ cuil. à thé de cumin en poudre
2.5 ml • ½ cuil. à thé de cannelle en poudre
2.5 ml • ½ cuil. à thé de coriandre en poudre
1,2 kg • 14 oz de tomates concassées en boîte
sel et poivre noir fraîchement moulu

Pour la garniture

30 ml • 2 cuil. à table d'huile-d'olive
1 oignon émincé
1 gousse d'ail émincée
quelques brins de coriandre fraîche

1 Mettez les aubergines dans une passoire et saupoudrez-les de sel. Posez la passoire sur un saladier et laissez dégorger les aubergines pendant une demi-heure, pour éliminer l'amertume. Rincez ensuite les aubergines à l'eau froide et séchez-les avec de l'essuie-tout.

2 Égouttez les pois chiches et mettez-les dans une casserole contenant juste assez d'eau pour les recouvrir. Portez à ébullition et laissez cuire à petit feu pendant une heure à une heure et demie, jusqu'à ce qu'ils soient tendres. Égouttez-les.

3 Chauffez l'huile dans une grande casserole. Mettez l'ail et l'oignon à revenir jusqu'à ce qu'ils soient fondants. Versez les épices et faites-les revenir quelques secondes en remuant. Ajoutez les aubergines, mélangez et poursuivez la cuisson 5 minutes. Incorporez les tomates et les pois chiches, salez et poivrez. Couvrez et laissez cuire à petit feu 20 minutes.

4 Préparez maintenant la garniture : chauffez l'huile dans une poêle et lorsqu'elle est très chaude, faites revenir l'ail et l'oignon émincés, jusqu'à ce qu'ils soient bien dorés et croustillants. Servez ce plat avec du riz blanc, parsemez d'oignon et d'ail sautés, et garnissez de coriandre fraîche.

Légumes en cocotte avec triangles au fromage

Choisissez un assortiment de vos légumes préférés, en vous arrangeant pour que le poids total reste identique. Peut-être devrez-vous augmenter le temps de cuisson si vous utilisez des légumes plus fermes.

INGRÉDIENTS

Pour 6 personnes

3 ml • 2 cuil. à table d'huile
2 gousses d'ail pressées
1 oignon grossièrement haché
5 ml • 1 cuil. à thé de piment en poudre doux
450 g • 1 lb de pommes de terre pelées
 et coupées en petits morceaux
450 g • 1 lb de céleri-rave épluché et coupé
 en petits morceaux
350 g • 12 oz de carottes coupées en morceaux
350 g • 12 oz de poireaux triés
 et grossièrement hachés
225 g • 8 oz de rosés des prés coupés en deux
20 ml • 4 cuil. à table de farine
600 ml • 2¹/2 tasses de bouillon de légumes
400 g • 14 oz de tomates concassées en boîte
15 ml • 1 cuil. à table de concentré de tomates
30 ml • 2 cuil. à table de thym frais haché
400 g • 14 oz de haricots rouges en boîte,
 rincés et égouttés
sel et poivre noir fraîchement moulu
quelques brins de thym frais pour garnir
 (facultatif)

Pour les triangles au fromage

115 g • 4 oz • 8 cuil. à table de beurre
225 g • 8 oz • 2 tasses de farine à gâteaux
115 g • 4 oz de gruyère râpé
30 ml • 2 cuil. à table de ciboulette fraîche
 ciselée
80 ml • 5 cuil. à table de lait environ

1 Préchauffez le four à 180°C • 350°F. Chauffez l'huile dans une grande cocotte allant au four et faites revenir l'ail et l'oignon 5 minutes, jusqu'à ce qu'ils commencent à dorer.

2 Versez le piment en poudre et poursuivez la cuisson 1 minute. Ajoutez les pommes de terre, le céleri-rave, les carottes, les poireaux et les champignons. Faites-les sauter 3 à 4 minutes.

3 Incorporez la farine et poursuivez la cuisson 1 minute. Versez petit à petit le bouillon.

4 Ajoutez les tomates concassées, le concentré de tomates et le thym. Salez et poivrez abondamment. Portez à ébullition en remuant sans cesse, puis couvrez et enfournez la cocotte 30 minutes.

5 Pendant ce temps, préparez les triangles au fromage. Travaillez le beurre et la farine du bout des doigts, puis ajoutez la moitié du fromage et la ciboulette. Salez, poivrez et ajoutez suffisamment de lait pour obtenir une pâte souple et homogène.

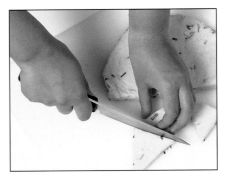

6 Étalez cette pâte au rouleau sur 2,5 cm • 1 pouce d'épaisseur. Découpez 12 triangles et badigeonnez-les de lait.

7 Sortez la cocotte du four. Ajoutez les haricots et mélangez bien. Posez les triangles au fromage dessus et parsemez avec le reste de fromage râpé. Remettez la cocotte dans le four et poursuivez la cuisson à découvert pendant 20 à 25 minutes. Servez éventuellement garni de brins de thym frais.

Gratin de pommes de terre et de haricots

Un mélange appétissant de plusieurs sortes de haricots, relevé par une sauce aigre-douce et recouvert d'une couche de pommes de terre gratinées.

Pour 6 personnes

450 g • 1 lb de pommes de terre
   en robe des champs
15 ml • 1 cuil. à table d'huile d'olive
40 g • 1½ oz • 3 cuil. à table de beurre
40 g • 1½ oz • ⅓ tasse de farine complète
300 ml • 1¼ tasses de passata (coulis de tomates)
150 ml • ⅔ tasse de jus de pommes sans sucre ajouté
60 ml • 4 cuil. à table de sucre blond
60 ml • 4 cuil. à table de ketchup
60 ml • 4 cuil. à table de porto sec
60 ml • 4 cuil. à table de vinaigre de cidre
60 ml • 4 cuil. à table de sauce de soja claire
400 g • 14 oz de haricots blancs en boîte
400 g • 14 oz de flageolets en boîte
400 g • 14 oz de pois chiches en boîte
175 g • 6 oz de haricots verts coupés
   en morceaux et blanchis
225 g • 8 oz d'échalotes émincées et blanchies
225 g • 8 oz de champignons émincés
15 ml • 1 cuil. à table de thym frais haché
15 ml • 1 cuil. à table de marjolaine fraîche hachée
sel et poivre noir fraîchement moulu
quelques brins d'aromates pour garnir

1 Préchauffez le four à 200°C • 400°F. Coupez les pommes de terre en fines lamelles et faites-les blanchir pendant 4 minutes. Égouttez-les bien, mettez-les dans un saladier, arrosez-les d'huile d'olive et mélangez bien de façon à les enduire légèrement d'huile de toutes parts.

2 Mettez le beurre, la farine, la passata, le jus de pommes, le sucre, le ketchup, le porto, le vinaigre et la sauce de soja dans une cocotte. Chauffez doucement en fouettant, jusqu'à ce que la sauce se mette à bouillir et qu'elle épaississe. Laissez-la ensuite cuire à petit feu pendant 3 minutes, sans cesser de remuer.

3 Rincez et égouttez les haricots et les pois chiches. Ajoutez-les à la sauce avec les ingrédients restants, les brins d'aromates exceptés. Mélangez bien.

4 Versez les haricots dans un plat à gratin.

5 Recouvrez-les complètement des rondelles de pommes de terre, en faisant se chevaucher légèrement ces dernières.

6 Couvrez avec du papier d'aluminium et faites cuire au four pendant 1 heure environ, jusqu'à ce que les pommes de terre soient cuites et tendres. Retirez le papier d'aluminium 20 minutes avant la fin de la cuisson, pour que les pommes de terre gratinent et dorent légèrement. Servez garni d'herbes fraîches.

LE CONSEIL DU CHEF

Vous pouvez varier les proportions de haricots utilisées dans cette recette en fonction de ce dont vous disposez.

Pommes de terre épicées en robe des champs

Quelques aromates et quelques épices réveillent les traditionnelles pommes de terre en robe des champs.

Pour 2 à 4 personnes

2 grosses pommes de terre

5 ml • 1 cuil. à thé d'huile de tournesol

1 petit oignon finement haché

1 morceau de gingembre frais
   de 2,5 cm • 1 pouce de long, râpé

5 ml • 1 cuil. à thé de cumin en poudre

5 ml • 1 cuil. à thé de coriandre en poudre

2,5 ml • ¹/₂ cuil. à thé de curcuma en poudre

sel parfumé à l'ail

yaourt nature et quelques brins
   de coriandre fraîche pour servir

1 Préchauffez le four à 190°C • 375°F. Piquez les pommes de terre à la fourchette et faites-les cuire au four pendant 1 heure, jusqu'à ce qu'elles soient tendres.

2 Coupez les pommes de terre en deux et prélevez la chair avec une cuillère. Chauffez l'huile dans une poêle anti-adhésive et faites revenir l'oignon quelques minutes, afin qu'il soit fondant. Ajoutez le gingembre, le cumin, la coriandre et le curcuma.

3 Laissez revenir 2 minutes environ, puis ajoutez la chair des pommes de terre et le sel parfumé à l'ail.

4 Poursuivez la cuisson pendant encore 2 minutes en remuant de temps en temps, puis répartissez cette préparation dans les « coquilles » en peau de pommes de terre. Garnissez avec 1 cuillerée de yaourt nature et 1 à 2 brins de coriandre fraîche. Servez bien chaud.

Gratin de poireaux au yaourt et au fromage

Comme pour tous les légumes, nous vous recommandons de choisir les poireaux les plus frais que vous trouverez pour préparer ce gratin, de préférence de petits poireaux nouveaux du début de saison.

INGRÉDIENTS

Pour 4 personnes

25 g • 1 oz • 2 cuil. à table de beurre

8 petits poireaux, soit 700 g • 1¹/₂ lb environ au total

2 petits œufs ou 1 gros battu

150 g • 5 oz de fromage de chèvre frais

85 ml • 3 oz • ¹/₃ tasse de yaourt nature

50 g • 2 oz de parmesan râpé

25 g • 1 oz • ¹/₂ tasse de miettes de pain frais, blanc ou complet

sel et poivre noir fraîchement moulu

1 Préchauffez le four à 180°C • 350°F. Beurrez un plat à gratin. Triez les poireaux, coupez-les de haut en bas et rincez-les bien sous l'eau froide.

2 Mettez les poireaux dans une casserole d'eau, portez à ébullition, puis faites-les cuire à petit feu 6 à 8 minutes, jusqu'à ce qu'ils soient tout juste tendres. Sortez-les de l'eau avec une écumoire et égouttez-les bien. Disposez-les dans le plat à gratin.

3 Battez les œufs avec le fromage de chèvre, le yaourt et la moitié du parmesan. Salez et poivrez.

4 Versez la sauce au yaourt et au fromage sur les poireaux. Mélangez les miettes de pain et le reste de parmesan râpé, puis parsemez-en le gratin. Faites-le cuire au four pendant 35 à 40 minutes, jusqu'à ce que le dessus soit doré et bien gratiné.

Tofu sauté aux nouilles chinoises

*Les amateurs de cuisine
chinoise apprécieront ce plat
au parfum délicat.*

INGRÉDIENTS

Pour 4 personnes

225 g • 8 oz de tofu fumé

45 ml • 3 cuil. à table de sauce de soja foncée

30 ml • 2 cuil. à table de porto ou de vermouth

3 poireaux finement émincés

1 morceau de gingembre frais de 2,5 cm •
   1 pouce de long, pelé et finement râpé

1 ou 2 piments rouges frais égrenés
   et coupés en fines rondelles

1 petit poivron rouge égrené
   et finement émincé

150 ml • 2/3 tasse de bouillon de légumes

10 ml • 2 cuil. à thé de miel liquide

10 ml • 2 cuil. à thé de maïzena

225 g • 8 oz de nouilles chinoises aux œufs
   d'épaisseur moyenne

sel et poivre noir fraîchement moulu

2 Mettez les poireaux, le gingembre, les piments, le poivron rouge et le bouillon dans une poêle. Portez à ébullition et faites cuire à feu vif 2 à 3 minutes, jusqu'à ce que tous les ingrédients soient juste tendres.

3 Égouttez le tofu et réservez-le. Ajoutez le miel et la maïzena à la marinade, et mélangez bien.

1 Coupez le tofu en dés de 2 cm • 3/4 pouce de côté. Mettez-le dans un saladier avec la sauce de soja et le porto ou le vermouth. Mélangez pour bien enrober chaque dé de tofu, puis laissez mariner la pâte de soja pendant une demi-heure environ.

4 Plongez les nouilles dans une grande casserole d'eau bouillante. Retirez du feu et laissez-les gonfler pendant 6 minutes environ, jusqu'à ce qu'elles soient cuites (reportez-vous aux instructions de l'emballage).

5 Chauffez une poêle anti-adhésive et faites dorer le tofu rapidement de toutes parts.

6 Déposez les légumes et le tofu dans une casserole, puis versez la marinade et mélangez bien. Chauffez jusqu'à ce que la sauce épaississe et devienne brillante. Disposez cette garniture sur les nouilles et servez immédiatement.

VARIANTE

Le tofu s'imprègne bien des parfums lorsqu'on le fait mariner. Si vous n'êtes pas très amateur de cette pâte de soja, vous pouvez le remplacer ici par un fromage fumé assez ferme. Dans ce cas, passez l'étape n° 5.

Gratin de pommes de terre à la betterave

Ce plat économique est proche de certaines recettes polonaises traditionnelles d'automne.

INGRÉDIENTS

Pour 4 personnes

30 ml • 2 cuil. à table d'huile végétale

1 oignon de taille moyenne haché

20 g • 3/4 oz • 3 cuil. à table de farine

300 ml • 1 1/4 tasses de bouillon de légumes

700 g • 1 1/2 lb de betterave rouge cuite, pelée et coupée en morceaux

75 ml • 5 cuil. à table de crème fraîche liquide

30 ml • 2 cuil. à table de sauce au raifort

5 ml • 1 cuil. à thé de moutarde forte

15 ml • 1 cuil. à table de vinaigre de vin

5 ml • 1 cuil. à thé de graines de carvi

25 g • 1 oz • 2 cuil. à table de beurre

1 échalote hachée

225 g • 8 oz d'un mélange de champignons des bois et de couche émincés

45 ml • 3 cuil. à table de persil frais haché

Pour la couronne de purée de pommes de terre

1 kg • 2 lb de pommes de terre farineuses pelées

150 ml • 2/3 tasse de lait

15 ml • 1 cuil. à table d'aneth frais haché (facultatif)

sel et poivre noir fraîchement moulu

2 Remettez à cuire à petit feu en remuant pour que le fond épaississe. Ajoutez la betterave, la crème fraîche, la sauce au raifort, la moutarde, le vinaigre et les graines de carvi.

3 Préparez la couronne de purée de pommes de terre : mettez les pommes de terre dans de l'eau salée, portez à ébullition et faites-les cuire 20 minutes. Égouttez-les bien, puis écrasez-les avec le lait. Ajoutez l'aneth si vous le souhaitez, salez et poivrez.

1 Préchauffez le four à 190°C • 375°F. Huilez légèrement un plat à four. Chauffez l'huile dans une grande casserole. Ajoutez l'oignon et faites-le revenir jusqu'à ce qu'il soit fondant sans dorer pour autant. Incorporez la farine, retirez la casserole du feu et versez le bouillon petit à petit tout en remuant jusqu'à ce que le tout soit bien mélangé.

4 Transférez la purée de pommes de terre dans le plat à gratin huilé en laissant un creux au milieu. Garnissez ce « nid » avec la préparation à base de betterave et réservez.

5 Faites fondre le beurre dans une grande poêle et mettez à revenir l'échalote jusqu'à ce qu'elle soit fondante mais non dorée. Ajoutez les champignons et faites-les sauter à feu moyen jusqu'à ce qu'ils commencent à rendre leur eau. Augmentez le feu pour que ce liquide s'évapore. Une fois l'essentiel du jus évaporé, salez, poivrez et incorporez presque tout le persil haché.

6 Répartissez les champignons sur les betteraves, couvrez avec du papier d'aluminium et enfournez pour une demi-heure environ. Servez immédiatement, garni du reste de persil haché.

LE CONSEIL DU CHEF

Vous pouvez préparer ce plat à l'avance. Il vous suffira alors de le réchauffer au four avant de le servir. Prévoyez 50 minutes de cuisson au four si le plat est à température ambiante.

LES REPAS DE FÊTE

~

Aubergine panée à la vinaigrette pimentée

Croustillantes à l'extérieur et merveilleusement fondantes à l'intérieur, ces rondelles d'aubergine sont délicieuses accompagnées d'une vinaigrette relevée parfumée aux piments et aux câpres.

INGRÉDIENTS

Pour 2 personnes

1 grosse aubergine
50 g • 2 oz • 1/2 tasse de farine
2 œufs battus
120 g • 4 oz • 2 tasses de miettes de pain frais
huile végétale pour la friture
1 trévise
sel et poivre noir fraîchement moulu

Pour la vinaigrette

30 ml • 2 cuil. à table d'huile d'olive
1 gousse d'ail pressée
15 ml • 1 cuil. à table de câpres égouttées
15 ml • 1 cuil. à table de vinaigre de vin blanc
15 ml • 1 cuil. à table d'huile pimentée

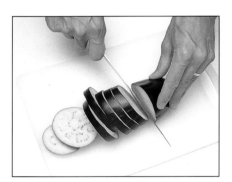

1 Coupez les extrémités de l'aubergine, puis détaillez-les en rondelles de 1 cm • 1/2 pouce d'épaisseur. Réservez.

LE CONSEIL DU CHEF

~

Il est conseillé de saler les rondelles d'aubergine avant de les faire frire, afin qu'elles dégorgent un peu. Cela réduira aussi la quantité d'huile qu'elles absorberont.

2 Salez et poivrez généreusement la farine, puis étalez-la dans une assiette creuse. Versez les œufs battus dans une deuxième assiette creuse, et étalez les miettes de pain dans une troisième.

3 Trempez les rondelles d'aubergine dans la farine, puis dans l'œuf battu et enfin dans les miettes de pain, en les tapotant pour qu'elles en soient recouvertes d'une couche régulière.

4 Versez l'huile végétale dans une grande poêle sur une hauteur de 5 mm • 1/4 pouce environ. Chauffez l'huile, puis faites frire les rondelles d'aubergine pendant 3 à 4 minutes, en les retournant une fois. Égouttez-les bien sur de l'essuie-tout.

5 Préparez la vinaigrette : chauffez l'huile d'olive dans une petite casserole. Mettez l'ail et les câpres à revenir à petit feu pendant 1 minute. Augmentez le feu, ajoutez le vinaigre et poursuivez la cuisson 30 secondes. Versez enfin l'huile pimentée et retirez la casserole du feu.

6 Disposez les feuilles de salade sur 2 assiettes, puis placez les rondelles d'aubergine panées dessus. Arrosez de vinaigrette chaude et servez.

Timbales de brocolis

*Cette timbale raffinée mais facile
à préparer peut être confectionnée
avec pratiquement n'importe quel
légume réduit en purée, des carottes
ou du céleri-rave par exemple.
Vous pouvez préparer les timbales
quelques heures à l'avance et les
faire cuire avant de commencer
le repas. Vous pouvez aussi les servir
en entrée accompagnées d'une sauce
au beurre et au vin blanc.*

INGRÉDIENTS

Pour 4 personnes

15 g • 1/2 oz • 1 cuil. à table de beurre
350 g • 12 oz de fleurettes de brocolis
45 ml • 3 cuil. à table de crème fraîche
1 œuf entier plus 1 jaune
1 cuil. à soupe d'oignon nouveau haché
1 pincée de muscade fraîchement râpée
sel et poivre noir fraîchement moulu
sauce au beurre et au vin blanc
    pour servir (facultatif)
ciboulette fraîche pour garnir (facultatif)

3 Mettez les brocolis avec la crème fraîche, l'œuf entier et le jaune dans le bol d'un mixer équipé d'une lame métallique. Mixez jusqu'à obtention d'une purée bien homogène.

4 Ajoutez l'oignon nouveau, salez, poivrez et assaisonnez avec la muscade. Mixez de nouveau pour bien mélanger le tout.

5 Versez la purée dans les ramequins que vous placez dans un plat à four. Ajoutez de l'eau bouillante jusqu'à mi-hauteur, puis faites cuire les timbales au bain-marie 25 minutes. Démoulez-les sur des assiettes préchauffées et retirez le papier cuisson. Si vous les servez en entrée, versez un peu de sauce autour de chaque timbale et garnissez de ciboulette.

1 Préchauffez le four à 190°C • 375°F. Beurrez légèrement 4 ramequins de 200 ml • 6 oz • 3/4 tasse de contenance, puis tapissez-en le fond avec du papier cuisson et beurrez le papier.

2 Faites cuire les brocolis à la vapeur pendant 8 à 10 minutes, jusqu'à ce qu'ils soient très tendres.

Fonduta aux légumes cuits à la vapeur

*La fonduta est une sauce
au fromage très crémeuse qui
nous vient d'Italie. Elle est
traditionnellement garnie
de lamelles de truffe blanche
et dégustée avec des tartines
de pain grillé.*

INGRÉDIENTS

Pour 4 personnes

assortiment de légumes comportant
    du fenouil, des brocolis, des carottes,
    du chou-fleur et des courgettes
    par exemple
115 g • 4 oz • 8 cuil. à table de beurre
12 à 16 tranches de baguette

Pour la fonduta

300 g • 11 oz • 1²/₃ tasses de fontina
15 ml • 1 cuil. à table de farine
lait
50 g • 2 oz • 4 cuil. à table de beurre
50 g • ½ tasse de parmesan fraîchement râpé
1 pincée de noix de muscade râpée
2 jaunes d'œufs à température ambiante
quelques lamelles de truffe blanche
    (facultatif)
sel et poivre noir fraîchement moulu

1 Environ 6 heures avant de servir
la fonduta, coupez la fontina en
morceaux et mettez-la dans un saladier. Saupoudrez-la de farine. Versez
suffisamment de lait pour juste couvrir le fromage, puis laissez reposer
dans un endroit frais. Le fromage
doit être à température ambiante
avant de cuire.

2 Peu avant de préparer la fonduta,
faites cuire les légumes à la
vapeur jusqu'à ce qu'ils soient tendres. Coupez-les en morceaux, puis
disposez-les sur un plat. Parsemez-
les de noisettes de beurre et gardez-
les au chaud.

3 Beurrez le pain et faites-le légèrement griller au four ou bien
sous le gril.

4 Préparez maintenant la fonduta.
Commencez par faire fondre le
beurre au bain-marie. Égouttez la
fontina et ajoutez-la au beurre fondu
avec 45 à 60 ml • 3 à 4 cuil. à table du
lait de trempage. Poursuivez la cuisson au bain-marie en remuant jusqu'à ce que le fromage fonde. Lorsqu'il est chaud et qu'il forme une
masse homogène, ajoutez le parmesan et remuez jusqu'à ce qu'il ait
fondu. Incorporez la muscade râpée,
salez et poivrez.

5 Passez les jaunes d'œufs au chinois. Retirez la fonduta du feu et
incorporez aussitôt les jaunes d'œufs.
Versez la fonduta dans des ramequins, et garnissez éventuellement
d'un peu de truffe blanche. Servez
avec les légumes et le pain grillé.

Feuilletés aux poivrons rouges et au cresson

*La saveur poivrée du cresson
se marie bien avec la douceur
du poivron rouge dans ces
feuilletés croustillants.*

INGRÉDIENTS

Pour 8 feuilletés

3 poivrons rouges

175 g • 6 oz de cresson

225 g • 8 oz • 1 tasse de ricotta

50 g • 2 oz • ¼ tasse d'amandes mondées,
   grillées et hachées

8 feuilles de pâte filo ou de brik

30 ml • 2 cuil. à table d'huile d'olive

sel et poivre noir fraîchement moulu

salade verte pour servir

3 Incorporez petit à petit la ricotta et les amandes, puis salez et poivrez.

5 Posez ensuite délicatement l'un des petits carrés de pâte au centre de l'étoile. Badigeonnez-le légèrement d'huile d'olive, puis superposez le second petit carré de pâte.

1 Préchauffez le four à 190°C • 375°F. Glissez les poivrons sous un gril très chaud jusqu'à ce qu'ils boursouflent et noircissent. Disposez-les ensuite dans un sachet en papier. Lorsqu'ils ont suffisamment refroidi pour qu'on puisse les manipuler, pelez-les, égrenez-les et séchez-les sur de l'essuie-tout.

4 Dans une feuille de pâte filo, découpez 2 carrés de 18 cm • 7 pouces de côté et 2 carrés de 5 cm • 2 pouces de côté. Badigeonnez l'un des grands carrés avec un peu d'huile d'olive et posez le second grand carré à 90° sur le premier, de façon à obtenir une étoile. Procédez de même pour toutes les feuilles de pâte filo.

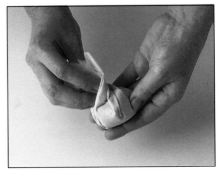

6 Répartissez la préparation à base de cresson et de poivrons au centre des 8 étoiles. Pour chaque étoile, ramenez les bords de la pâte vers le centre de façon à former une sorte de bourse que vous fermez en faisant tourner la pâte. Posez les feuilletés sur une plaque à pâtisserie légèrement beurrée et faites-les cuire au four pendant 25 à 30 minutes, jusqu'à ce que les petites bourses soient dorées et croustillantes. Servez accompagné de salade verte.

2 Mettez les poivrons et le cresson dans le bol d'un mixer et hachez grossièrement. Transférez la préparation dans un saladier.

LE CONSEIL DU CHEF

Conservez la pâte filo au réfrigérateur jusqu'au moment de vous en servir. Lorsque vous l'utilisez, installez-vous dans un endroit frais et essayez de la manipuler le moins possible.

Blinis de sarrasin au caviar de champignons

On sert traditionnellement ces galettes russes avec du véritable caviar – c'est-à-dire des œufs de poisson – et de la crème fraîche. Cependant, le terme de caviar s'applique aussi à de fines préparations à base de légumes, le caviar d'aubergines par exemple. Nous vous proposons ici un caviar de champignons des bois, à la consistance riche et soyeuse.

INGRÉDIENTS

Pour 4 personnes

115 g • 4 oz • 1 tasse de farine à pain, à fort
    pouvoir d'absorption

50 g • 2 oz • 1/3 tasse de farine de sarrasin

2.5 ml • 1/2 cuil. à thé de sel

300 ml • 1 1/4 tasses de lait

5 ml • 1 cuil. à thé de levure de boulangerie sèche

2 œufs, le blanc séparé du jaune

200 ml • 7/8 tasse de crème fraîche pour servir

Pour le caviar

350 g • 12 oz de champignons des bois
    variés (bolets, cèpes, chanterelles,
    pieds-de-mouton par exemple)

5 ml • 1 cuil. à thé de sel parfumé au céleri

30 ml • 2 cuil. à table d'huile de noix

15 ml • 1 cuil. à table de jus de citron

45 ml • 3 cuil. à table de persil frais haché

poivre noir fraîchement moulu

1 Préparez le caviar : triez et hachez les champignons et mettez-les dans un saladier en verre. Ajoutez le sel parfumé au céleri, mélangez, puis couvrez avec une assiette sur laquelle vous posez un poids.

2 Laissez dégorger les champignons pendant 2 heures, jusqu'à ce que leur eau s'écoule au fond du saladier. Rincez-les bien pour éliminer le sel.

3 Égouttez-les et exprimez le plus de liquide possible en appuyant avec le dos d'une cuillère. Remettez-les dans le saladier, arrosez-les avec l'huile de noix et le jus de citron, parsemez-les de persil haché et mélangez bien. Poivrez, puis mettez le caviar au réfrigérateur jusqu'au moment de servir.

4 Tamisez les 2 sortes de farine avec le sel dans une grande terrine. Chauffez le lait à température modérée. Ajoutez la levure, en remuant jusqu'à ce qu'elle soit bien diluée, puis versez ce levain dans la farine. Ajoutez les jaunes d'œufs et mélangez jusqu'à obtention d'une pâte bien homogène. Couvrez avec un torchon humide et laissez-la lever au chaud pendant une demi-heure environ.

5 Montez les blancs en neige ferme dans un saladier, puis incorporez-les à la pâte levée.

6 Chauffez modérément une plaque de fonte. Huilez-la légèrement, puis déposez des cuillerées de pâte sur la surface chaude. Retournez-les et faites-les cuire brièvement de l'autre côté. Garnissez les blinis de caviar de champignons et servez avec la crème fraîche.

Feuilletés grecs aux épinards et à la feta

*Des épinards et de la feta :
voici le secret que renferment
ces délicieux feuilletés.*

Pour 4 personnes

15 ml • 1 cuil. à table d'huile d'olive
1 petit oignon finement haché
275 g • 10 oz d'épinards frais sans les côtes
50 g • 2 oz • 4 cuil. à table de beurre fondu
4 feuilles de pâte filo ou de brik (mesurant
    45 × 25 cm • 18 × 10 pouces environ)
1 œuf
1 pincée de noix de muscade râpée
75 g • 3 oz • ¼ tasse de feta émiettée
15 ml • 1 cuil. à table de parmesan
    fraîchement râpé
sel et poivre noir fraîchement moulu

1 Préchauffez le four à 190°C • 375°F.
Chauffez l'huile dans une casserole, puis faites-y revenir l'oignon à petit feu 5 à 6 minutes, jusqu'à ce qu'il soit fondant.

2 Ajoutez les feuilles d'épinards et poursuivez la cuisson en remuant jusqu'à ce que les feuilles se flétrissent et qu'une partie du liquide se soit évaporée. Laissez refroidir.

3 Badigeonnez 4 moules à tartelettes à fond détachable de 10 cm • 4 pouces de diamètre avec un peu de beurre fondu. Prenez 2 feuilles de pâte filo et recoupez chacune en 8 carrés de 12 cm • 4½ pouces de côté. Les feuilles de pâte restantes doivent rester couvertes jusqu'à utilisation.

4 Badigeonnez 4 carrés à la fois de beurre fondu. Tapissez le premier moule à tartelette avec un carré de pâte que vous glissez délicatement sur le fond du moule en le faisant remonter sur les côtés. Laissez dépasser l'excédent de pâte par-dessus le bord du moule.

5 Posez les 3 carrés de pâte restants sur le premier, en les décalant de façon que les coins forment les pointes des branches d'une étoile. Procédez de même pour les 3 autres moules.

6 Battez l'œuf avec la muscade, salez et poivrez. Ajoutez la feta et le parmesan, puis les épinards et mélangez bien. Répartissez cette préparation dans les moules et lissez le dessus. Repliez ensuite la pâte sur la farce.

7 Découpez l'une des feuilles de pâte restantes en 8 disques de 10 cm • 4 pouces de diamètre. Badigeonnez-les de beurre et appliquez-en 2 sur chaque tartelette. Appuyez sur les bords pour coller la pâte. Enduisez la dernière feuille de pâte de beurre et coupez-la en lanières. Torsadez les lanières et posez-en 1 sur chaque tartelette. Laissez reposer 5 minutes, puis faites cuire au four pendant 30 à 35 minutes. Servez chaud ou froid.

Terrine de légumes grillés

*Impressionnez vos invités avec
cette terrine aux saveurs
méditerranéennes haute en couleur.*

INGRÉDIENTS

Pour 6 personnes

2 gros poivrons rouges coupés en quatre,
    équeutés et égrenés

2 gros poivrons jaunes coupés en quatre,
    équeutés et égrenés

1 grosse aubergine coupée en tranches
    dans le sens de la longueur

2 grosses courgettes coupées en tranches
    dans le sens de la longueur

90 ml • 6 cuil. à table d'huile d'olive

1 gros oignon rouge finement émincé

75 g • 3 oz • 1/2 tasse de raisins secs

15 ml • 1 cuil. à table de concentré de tomates

15 ml • 1 cuil. à table de vinaigre de vin rouge

400 ml • 14 oz • 1 2/3 tasses de jus de tomates

15 g • 2 cuil. à table de gélatine végétarienne

feuilles de basilic frais pour garnir

Pour la vinaigrette

90 ml • 6 cuil. à table d'huile d'olive

30 ml • 2 cuil. à table de vinaigre de vin rouge

sel et poivre noir fraîchement moulu

1 Glissez les poivrons sous un gril très chaud, la peau tournée vers le haut, et laissez-les jusqu'à ce que la peau noircisse. Mettez-les ensuite dans un saladier et couvrez.

2 Disposez les tranches d'aubergine et de courgettes sur des plaques à pâtisserie séparées. Badigeonnez-les d'huile et passez-les sous le gril.

3 Dans une poêle avec le reste d'huile, faites cuire l'oignon, les raisins secs, le concentré de tomates et le vinaigre de vin rouge.

4 Tapissez une terrine de 1,75 litre • 7 1/2 tasses de contenance avec du film alimentaire transparent.

5 Versez la moitié du jus de tomates avec la gélatine dans une casserole. Faites dissoudre la gélatine à feu doux.

6 Couvrez le fond de la terrine de poivron rouge, arrosez d'un peu de jus de tomates à la gélatine. Ajoutez successivement des couches d'aubergine, de courgettes, de poivrons jaunes et de préparation à l'oignon.

7 Versez un peu de jus de tomates à la gélatine sur chaque couche de légumes et terminez par une couche de poivron rouge.

8 Mettez le reste du jus de tomates dans la casserole, mélangez bien et versez sur la terrine. Tapez assez vivement la terrine sur la table pour bien répartir le jus. Couvrez et mettez au réfrigérateur jusqu'à ce qu'elle ait pris.

9 Préparez la vinaigrette en fouettant l'huile avec le vinaigre. Salez et poivrez.

10 Démoulez la terrine et retirez le film transparent. Servez en tranches épaisses, arrosé d'un filet de vinaigrette. Garnissez avec des feuilles de basilic.

Soufflé aux poireaux

*Rien de tel qu'un soufflé pour
impressionner ses convives.
En dépit de sa belle apparence,
celui-ci est très simple à préparer.*

INGRÉDIENTS

Pour 2 à 3 personnes

15 g • 1 cuil. à table d'huile de tournesol
55 g • 1¹/₂ oz • 3 cuil. à table de beurre
2 poireaux finement émincés
300 ml • 1¹/₄ tasses de lait environ
25 g • 1 oz • ¹/₄ tasse de farine
4 œufs, le blanc séparé du jaune
75 g • 3 oz de gruyère ou d'emmental, râpé
sel et poivre noir fraîchement moulu

1 Préchauffez le four à 180°C •
350°F. Beurrez un grand plat à
soufflé. Chauffez l'huile de tournesol
et 15 g • 1 cuil. à table de beurre dans
une petite casserole, et faites revenir
les poireaux à petit feu pendant 4 à 5
minutes, jusqu'à ce qu'ils soient
fondants mais non roussis.

2 Incorporez le lait et portez à
ébullition. Couvrez et laissez frémir pendant 4 à 5 minutes. Passez
ensuite les poireaux au chinois et
recueillez le jus de cuisson dans un
verre gradué.

3 Préparez ensuite un roux : faites
fondre le reste de beurre, incorporez la farine et chauffez pendant
1 minute. Retirez du feu.

4 Rajoutez du lait au jus de cuisson
recueilli dans le verre gradué de
façon à avoir 300 ml • 1¹/₄ tasses de
liquide. Incorporez ce liquide au
mélange beurre et farine jusqu'à
obtention d'une sauce bien homogène. Remettez sur le feu et portez à
ébullition sans cesser de remuer. Une
fois que le roux a épaissi, retirez-le
du feu. Laissez-le refroidir légèrement, puis ajoutez les jaunes d'œufs,
le fromage et les poireaux. Mélangez
bien.

5 Montez les blancs en neige
ferme, puis incorporez-les dans
la préparation précédente à l'aide
d'une grande cuillère métallique.
Versez dans le moule à soufflé beurré
et enfournez une demi-heure environ, jusqu'à ce que le soufflé ait
gonflé et qu'il soit bien doré. Servez
immédiatement.

Terrine de brocolis aux marrons

Servie chaude ou froide, cette terrine convient aussi bien pour un pique-nique que pour un dîner de fête. Une salade verte est l'accompagnement idéal.

INGRÉDIENTS

Pour 4 à 6 personnes

450 g • 1 lb de brocolis coupés
    en petites fleurettes
225 g • 8 oz de châtaignes cuites
    grossièrement hachées
50 g • 1 tasse de miettes de pain complet frais
60 ml • 4 cuil. à table de yaourt nature
30 ml • 2 cuil. à table de parmesan finement râpé
2 œufs battus
1 pincée de noix de muscade râpée
sel et poivre noir fraîchement moulu
pommes de terre nouvelles pour servir

Pour la salade et son assaisonnement (facultatif)

60 ml • 4 cuil. à table d'huile d'olive
15 ml • 1 cuil. à table de jus de citron
2.5 ml • ¹/₂ cuil. à thé de sucre en poudre
sel et poivre noir fraîchement moulu
15 ml • 1 cuil. à table de thym ou d'aneth
    frais, haché
250 g • 9 oz de mesclun

1 Préchauffez le four à 180°C • 350°F. Tapissez un moule à cake de 900 g • 2 lb de contenance de papier cuisson anti-adhésif.

2 Faites blanchir les brocolis ou bien cuisez-les à la vapeur jusqu'à ce qu'ils soient juste tendres. Égouttez-les bien. Réservez 1/4 des fleurettes les plus petites et hachez le reste finement.

3 Mélangez les châtaignes, les miettes de pain, le yaourt et le parmesan. Salez, poivrez et assaisonnez avec la muscade.

4 Incorporez petit à petit les brocolis hachés, les fleurettes de brocolis entières et les œufs battus.

5 Versez la préparation dans le moule.

6 Placez le moule dans un plat à four et versez de l'eau bouillante jusqu'à mi-hauteur du moule. Enfournez pour 20 à 25 minutes.

7 Pendant ce temps, si vous avez prévu une salade, préparez son assaisonnement. Mélangez l'huile d'olive, le jus de citron et le sucre. Salez, poivrez, puis incorporez le thym ou l'aneth. Disposez les feuilles de salade verte sur les assiettes et arrosez-les avec l'assaisonnement.

8 Sortez le plat du four, puis démoulez la terrine sur un plat ou un plateau. Découpez-la en tranches régulières et servez-la accompagnée de pommes de terre nouvelles.

Soufflé au fromage de chèvre

Sortez le soufflé du four au moment précis de le servir, parce qu'il va dégonfler presque immédiatement. Vous pouvez aussi utiliser pour cette recette un fromage à pâte persillée, du roquefort par exemple.

INGRÉDIENTS

Pour 4 à 6 personnes

40 g • 1¹/₂ oz • 3 cuil. à table de beurre

25 g • 1 oz • ¹/₄ tasse de farine

200 ml • 6 oz • ³/₄ tasse de lait

1 feuille de laurier

muscade fraîchement râpée

parmesan râpé

40 g • 1¹/₂ oz de fromage frais à l'ail et aux fines herbes

150 g • 5 oz de fromage de chèvre ferme coupé en dés

6 blancs d'œufs à température ambiante

sel et poivre noir fraîchement moulu

1 Commencez par préparer un roux : faites fondre 25 g • 2 cuil. à table de beurre à feu moyen dans une casserole à fond épais. Ajoutez la farine et poursuivez la cuisson en remuant de temps en temps, jusqu'à ce que le mélange soit doré.

2 Mouillez avec la moitié du lait, en tournant vigoureusement jusqu'à ce que le mélange soit homogène. Incorporez le reste de lait, puis ajoutez la feuille de laurier. Assaisonnez d'1 pincée de sel et de beaucoup de poivre et de muscade. Diminuez le feu, puis couvrez et poursuivez la cuisson à feu doux 5 minutes environ, en remuant de temps en temps.

3 Préchauffez le four à 190°C • 375°F. Beurrez généreusement un moule à soufflé de 1,5 litre • 6¹/₄ tasses de contenance et tapissez-le de parmesan râpé.

4 Retirez la sauce du feu et jetez la feuille de laurier. Incorporez les 2 types de fromage.

5 Montez ensuite les blancs en neige ferme dans un saladier avec un batteur électrique ou un fouet. Incorporez 1 cuillerée de blancs en neige dans la préparation au fromage pour l'aérer.

6 Incorporez délicatement le reste des blancs dans la préparation au fromage, à l'aide d'une grande cuillère métallique, sans trop les mélanger.

7 Versez la préparation dans le plat et enfournez-le 25 à 30 minutes, jusqu'à ce que le soufflé soit gonflé et bien doré. Servez immédiatement.

Roulé au bleu et au céleri-rave

La « crème » de céleri-rave ajoute une note subtile et délicate à la saveur de ce plat.

INGRÉDIENTS

Pour 6 personnes

15 g • ½ oz • 1 cuil. à table de beurre

225 g • 8 oz d'épinards cuits égouttés et hachés

150 ml • ⅔ tasse de crème fraîche liquide

4 gros œufs, le blanc séparé du jaune

15 g • ½ oz de parmesan râpé

1 pincée de muscade

sel et poivre noir fraîchement moulu

Pour la « crème » de céleri-rave

225 g • 8 oz de céleri-rave

jus de citron

75 g • 3 oz de saint-agur

120 g • 4 oz de fromage frais

1 Préchauffez le four à 200°C • 400°F. Tapissez un moule à gâteau roulé (ou une lèchefrite) de 33 × 23 cm • 13 × 9 pouces de papier cuisson anti-adhésif.

2 Faites fondre le beurre dans une casserole et mettez les épinards à cuire jusqu'à ce que tout le liquide se soit évaporé. Retirez du feu, puis incorporez la crème fraîche, les jaunes d'œufs, le parmesan et la muscade.

3 Montez les blancs d'œufs en neige ferme, puis incorporez-les délicatement dans les épinards et versez le tout dans le moule. Étalez la préparation en une couche régulière et lissez le dessus avec une palette.

4 Faites cuire au four pendant 10 à 15 minutes, jusqu'à ce que la préparation soit ferme au toucher. Démoulez-la sur une feuille de papier sulfurisé et retirez le papier de cuisson. Enroulez l'omelette en laissant le papier sulfurisé à l'intérieur et laissez-la refroidir légèrement.

5 Préparez la « crème » de céleri-rave : pelez le céleri et râpez-le. Mettez-le dans un saladier, puis arrosez-le de jus de citron selon votre goût. Mélangez le saint-agur et le fromage frais, puis incorporez le tout au céleri-rave. Poivrez légèrement.

6 Déroulez l'omelette, tartinez-la de « crème » de céleri-rave, puis enroulez-la à nouveau, cette fois en retirant le papier sulfurisé. Servez le roulé immédiatement, ou bien enveloppez-le sans trop le serrer et conservez-le au réfrigérateur.

Soufflé aux épinards et aux champignons des bois

Les champignons des bois se marient à merveille avec les œufs et les épinards dans ce soufflé. Si vous pouvez utiliser pratiquement n'importe quel assortiment de champignons, c'est avec les variétés les plus fermes que votre soufflé aura la meilleure consistance.

INGRÉDIENTS

Pour 4 personnes

225 g • 8 oz d'épinards frais lavés, ou
   125 g • 4 oz d'épinards hachés surgelés
50 g • 2 oz • 4 cuil. à table de beurre, plus
   de quoi beurrer le moule
1 gousse d'ail pressée
175 g • 6 oz de champignons des bois
   variés (cèpes, bolets, lactaires délicieux
   et chanterelles par exemple)
200 ml • 7 oz • 7/8 tasse de lait
20 g • 3/4 oz • 3 cuil. à table de farine
6 œufs, le blanc séparé du jaune
1 pincée de noix de muscade râpée
25 g • 1 oz de parmesan râpé
sel et poivre noir fraîchement moulu

1 Préchauffez le four à 190°C • 375°F. Faites cuire les épinards à la vapeur à feu moyen pendant 3 à 4 minutes. Passez-les ensuite sous l'eau froide, puis égouttez-les. Exprimez le plus de liquide possible en appuyant avec le dos d'une grande cuillère, puis hachez-les finement. Si vous utilisez des épinards surgelés, décongelez-les et préparez-les en suivant les instructions de l'emballage. Éliminez le plus de jus possible de la même façon qu'avec des épinards frais.

2 Faites fondre le beurre dans une casserole, puis mettez à revenir l'ail et les champignons à feu doux jusqu'à ce qu'ils soient fondants. Augmentez le feu pour que le jus s'évapore. Ajoutez les épinards, puis transférez le tout dans un saladier. Couvrez et maintenez au chaud.

3 Versez 45 ml • 3 cuil. à table de lait dans un saladier. Portez le reste de lait à ébullition. Incorporez la farine et les jaunes d'œufs dans le lait froid et mélangez bien. Versez ensuite le lait bouillant sur ce mélange d'œufs et de farine, puis reversez le tout dans la casserole et poursuivez la cuisson à feu doux jusqu'à ce que le mélange épaississe. Ajoutez enfin les épinards. Salez, poivrez et assaisonnez avec la muscade.

4 Beurrez un moule à soufflé de 900 ml • 3 3/4 tasses de contenance, en graissant bien les côtés. Parsemez d'un peu de parmesan râpé, puis réservez.

5 Montez les blancs d'œufs en neige ferme. Portez à nouveau la préparation à base d'épinards à ébullition. Ajoutez-y 1 cuillerée de blancs en neige, puis incorporez délicatement le reste des blancs.

6 Versez la préparation dans le moule à soufflé, parsemez avec le reste de parmesan râpé et enfournez pour 25 minutes environ, jusqu'à ce que le soufflé soit bien gonflé et bien doré. Servez immédiatement, avant que le soufflé n'ait eu le temps de dégonfler.

LE CONSEIL DU CHEF

Vous pouvez préparer la préparation de base du soufflé jusqu'à 12 heures à l'avance. Il suffit ensuite de la réchauffer avant d'y incorporer les blancs d'œufs montés en neige.

Roulé aux patates douces

*La patate douce est l'ingrédient
de base parfait pour ce roulé.
Servez-le coupé en tranches fines
et vos invités se régaleront.*

INGRÉDIENTS

Pour 6 personnes

225 g • 1 tasse de fromage blanc allégé

75 ml • 5 cuil. à table de yaourt nature

6 à 8 oignons nouveaux finement hachés

30 ml • 2 cuil. à table de noix du Brésil
grillées, hachées

450 g • 1 lb de patates douces pelées
et coupées en dés

12 grains de poivre de la Jamaïque pilés

4 œufs, le blanc séparé du jaune

50 g • 2 oz • ¼ tasse d'édam finement râpé

15 ml • 1 cuil. à table de graines de sésame

sel et poivre noir fraîchement moulu

salade verte pour servir

1 Préchauffez le four à 200°C •
400°F. Beurrez un moule à gâteau
roulé (ou une lèchefrite) de 33 ×
25 cm • 13 × 10 pouces et tapissez-le
de papier cuisson anti-adhésif, en le
recoupant dans les angles pour qu'il
s'encastre bien. Cuisez les patates
douces à la vapeur ou à l'eau bouillante jusqu'à ce qu'elles soient tendres.

LE CONSEIL DU CHEF

Choisissez des patates douces
à chair orangée pour obtenir
un plus bel effet de couleur.

2 Dans un bol, mélangez le fromage
blanc, le yaourt, les oignons nouveaux et les noix. Réservez.

3 Égouttez bien les patates douces.
Mettez-les dans le bol d'un mixer
avec les grains de poivre pilés et
mixez jusqu'à obtention d'une purée
homogène. Versez dans un saladier,
puis incorporez les jaunes d'œufs et
l'édam. Salez, poivrez et remuez bien.

4 Montez les blancs d'œufs en
neige ferme sans qu'ils se dessè-
chent. Versez 1/3 des blancs dans
la purée de patates douces pour
l'alléger, puis incorporez délicatement le reste.

5 Versez cette préparation dans le
moule et lissez délicatement le
dessus avec une palette. Enfournez
pour 10 à 15 minutes.

6 Pendant ce temps, étalez une
grande feuille de papier sulfurisé
sur un torchon et parsemez-la de
graines de sésame. Démoulez la préparation à base de patates douces sur
la feuille de papier, recoupez les
bords et roulez-la. Laissez refroidir
avant de la dérouler délicatement.
Tartinez-la de fromage blanc aux
oignons et aux noix et enroulez-la de
nouveau. Coupez le roulé en
tranches fines et servez-le accompagné de salade verte.

Tarte aux asperges et à la ricotta

Une tarte délicieuse où la saveur délicate des asperges se mêle à celle de plusieurs fromages.

INGRÉDIENTS

Pour 4 personnes

75 g • 3 oz • 6 cuil. à table de beurre
175 g • 6 oz • 1¹/₂ tasses de farine
1 pincée de sel

Pour la garniture

225 g • 8 oz d'asperges
2 œufs
225 g • 8 oz de ricotta
30 ml • 2 cuil. à table de yaourt à la grecque
40 g • 1¹/₂ oz de parmesan râpé
sel et poivre noir fraîchement moulu

1 Préchauffez le four à 200°C • 400°F. Travaillez le beurre et la farine additionnée de sel du bout des doigts, puis ajoutez suffisamment d'eau froide pour obtenir une pâte homogène. Pétrissez légèrement sur un plan de travail fariné.

2 Étalez la pâte au rouleau et tapissez-en un moule à tarte de 23 cm • 9 pouces de diamètre. Appuyez bien pour qu'elle adhère au moule et piquez-la avec une fourchette. Faites-la cuire à vide 10 minutes, jusqu'à ce qu'elle soit ferme mais encore blanche.

3 Recoupez les asperges si besoin est. Coupez les pointes à 5 cm • 2 pouces de l'extrémité, puis détaillez le reste en morceaux de 2,5 cm • 1 pouce de long. Plongez les morceaux d'asperges, puis les pointes dans l'eau bouillante et faites-les cuire à petit bouillon 4 à 5 minutes. Égouttez-les.

4 Battez les œufs, la ricotta, le yaourt et le parmesan. Salez, poivrez et incorporez les morceaux d'asperges.

5 Versez cette garniture sur le fond de tarte et disposez les pointes d'asperges sur le dessus. Faites cuire 35 à 40 minutes, jusqu'à ce que la tarte soit bien dorée. Servez-la tiède ou froide.

Asperges avec sauce hollandaise à l'estragon

Voici une entrée idéale pour un repas de la fin du printemps ou du début de l'été, lorsque c'est la pleine saison des asperges. Ne vous inquiétez pas pour la sauce : elle est très simple à préparer à l'aide d'un mixer.

INGRÉDIENTS

Pour 4 personnes

500 g • 1¹/₄ lb d'asperges fraîches

Pour la sauce hollandaise

2 jaunes d'œufs
15 ml • 1 cuil. à table de jus de citron
115 g • 4 oz • 8 cuil. à table de beurre
10 ml • 2 cuil. à thé d'estragon frais finement haché
sel et poivre noir fraîchement moulu

1 Préparez les asperges : faites-les cuire à la vapeur dans une cocotte minute pendant 6 à 10 minutes, jusqu'à ce qu'elles soient tendres (le temps de cuisson dépend de la grosseur des asperges).

2 Préparez la sauce hollandaise : mettez les jaunes d'œufs et le jus de citron dans le bol d'un mixer. Salez, poivrez, puis mixez brièvement. Faites fondre le beurre dans une petite casserole jusqu'à ce qu'il mousse. Mettez le mixer en marche, puis versez le beurre fondu en un filet lent et régulier sur les œufs battus au citron.

3 Incorporez l'estragon à la cuillère ou bien mixez-le avec la préparation précédente. Dans le premier cas, vous obtiendrez une sauce parsemée de points verts, dans le second une sauce vert pâle.

4 Disposez les asperges sur des assiettes individuelles, versez un peu de sauce hollandaise dessus et saupoudrez de poivre. Versez le reste de sauce dans une saucière et proposez-la à part.

Feuilletés aux légumes nouveaux et sauce au pastis

Le pastis est le compagnon idéal de ces légumes nouveaux à la saveur délicate. Voici encore une recette qui impressionnera grandement vos invités.

INGRÉDIENTS

Pour 4 personnes

225 g • 8 oz de pâte feuilletée, décongelée si vous utilisez de la pâte surgelée

15 ml • 1 cuil. à table de parmesan fraîchement râpé

15 ml • 1 cuil. à table de persil frais haché

œuf battu pour dorer la pâte

175 g • 6 oz de fèves écossées

125 g • 4 oz de mini-carottes grattées

4 mini-poireaux lavés

75 g • 1/2 tasse de petits pois, décongelés si vous utilisez des petits pois surgelés

50 g • 2 oz de pois gourmands équeutés

sel et poivre noir fraîchement moulu

quelques brins d'aneth frais pour garnir

Pour la sauce

200 g • 7 oz de tomates concassées en boîte

25 g • 1 oz • 2 cuil. à table de beurre

25 g • 1 oz • 2 cuil. à table de farine

1 pincée de sucre

45 ml • 3 cuil. à table d'aneth frais haché

300 ml • 1 1/4 tasses d'eau

15 ml • 1 cuil. à table de pastis

1 Préchauffez le four à 220°C • 425°F. Beurrez légèrement une plaque à pâtisserie.

2 Étalez très finement la pâte feuilletée au rouleau. Parsemez-la de persil haché et de parmesan râpé, repliez-la et étalez-la une nouvelle fois au rouleau de sorte que le persil et le fromage soient incorporés à la pâte. Découpez 4 rectangles de pâte de 7,5 × 10 cm • 3 × 4 pouces. Posez les rectangles de pâte sur la plaque à pâtisserie.

3 Avec un couteau tranchant, entaillez sur la moitié de l'épaisseur de chaque morceau de pâte un second rectangle à environ 1 cm • 1/2 pouce du bord. Vous retirerez ces « couvercles » une fois la pâte cuite. Avec la pointe du couteau, faites des entailles croisées sur le dessus du petit rectangle, puis badigeonnez la pâte d'œuf battu. Faites cuire les feuilletés au four 12 à 15 minutes, afin qu'ils soient dorés.

4 Pendant ce temps, préparez la sauce. Passez les tomates au chinois, versez cette purée dans une casserole, puis ajoutez les autres ingrédients. Portez à ébullition sans cesser de remuer. Baissez le feu et laissez mijoter jusqu'au moment de servir.

5 Faites cuire les fèves pendant 8 minutes dans une casserole d'eau bouillante légèrement salée. Ajoutez ensuite les carottes, les poireaux et les petits pois, et poursuivez la cuisson pendant 5 minutes. Incorporez enfin les pois gourmands et laissez cuire 1 minute de plus. Égouttez bien tous les légumes.

6 À l'aide d'un couteau, retirez les petits rectangles de pâte sur le dessus des feuilletés. Réservez-les. Garnissez les feuilletés de légumes, nappez-les de sauce, puis couvrez avec les « couvercles » de pâte. Servez garni d'aneth.

LE CONSEIL DU CHEF

Si vous avez le temps, mettez les feuilletés au réfrigérateur pendant 20 minutes avant de les faire cuire.

Kashmiri de légumes

Pour ce délicieux curry végétarien, on fait mijoter un assortiment de légumes frais dans une sauce au yaourt épicée et très parfumée.

INGRÉDIENTS

Pour 4 personnes

10 ml • 2 cuil. à thé de graines de cumin

8 grains de poivre noir

2 gousses de cardamome verte
(les graines uniquement)

1 bâton de cannelle de 5 cm • 2 pouces de long

2.5 ml • 1/2 cuil. à thé de noix de muscade râpée

45 ml • 3 cuil. à table d'huile

1 piment vert frais haché

1 morceau de gingembre frais
de 2,5 cm • 1 pouce de long, râpé

5 ml • 1 cuil. à thé de piment en poudre

2.5 ml • 1/2 cuil. à thé de sel

2 grosses pommes de terre coupées
en morceaux de 2,5 • 1 pouce cm

225 g • 8 oz de chou-fleur en fleurettes

225 g • 8 oz de gombos coupés en tranches
épaisses

150 ml • 2/3 tasse de yaourt nature

150 ml • 2/3 tasse de bouillon de légumes

quelques amandes effilées grillées
et quelques brins de coriandre fraîche
pour garnir

1 Réduisez les graines de cumin, de poivre, de cardamome, ainsi que le bâton de cannelle et la muscade en une poudre fine à l'aide d'un mixer ou d'un pilon et d'un mortier.

2 Dans une grande casserole avec l'huile, faites revenir le piment et le gingembre 2 minutes, en remuant.

3 Ajoutez le piment en poudre, le sel et les épices pilées, et faites revenir pendant 2 à 3 minutes, en remuant constamment pour éviter que les épices attachent.

4 Ajoutez les pommes de terre, couvrez et laissez-les cuire 10 minutes à feu doux, en remuant de temps en temps.

5 Incorporez le chou-fleur et les gombos.

6 Poursuivez la cuisson 5 minutes avant de verser le yaourt et le bouillon. Portez ensuite à ébullition, puis baissez le feu. Couvrez et laissez mijoter pendant 20 minutes, jusqu'à ce que tous les légumes soient tendres. Garnissez avec des amandes effilées grillées et des brins de coriandre fraîche.

LE CONSEIL DU CHEF

Ce curry se marie bien avec la plupart des légumes. Vous pouvez choisir des légumes dont la couleur et la consistance sont contrastées.

Tourte aux légumes

Cette tourte à base de pâte feuilletée à l'orientale est un plat original.

Pour 6 à 8 personnes

225 g • 8 oz de poireaux

165 g • 5 1/2 oz • 11 cuil. à table de beurre

225 g • 8 oz de carottes coupées en dés

225 g • 8 oz de champignons émincés

225 g • 8 oz de choux de Bruxelles
coupés en quatre

2 gousses d'ail pressées

120 g • 4 oz • 1/2 tasse de cream cheese ou
de fromage frais à tartiner

120 g • 4 oz • 1/2 tasse de roquefort

150 ml • 2/3 tasse de crème fraîche épaisse

2 œufs battus

225 g • 8 oz de pommes à cuire

225 g • 8 oz • 1 tasse de noix de cajou ou de
pignons grillés

350 g • 12 oz de pâte filo ou de feuilles de
brik surgelées, décongelées

sel et poivre noir fraîchement moulu

3 Fouettez le fromage frais avec le roquefort, la crème fraîche et les œufs. Salez et poivrez, puis versez ce mélange sur les légumes.

4 Pelez et évidez les pommes, puis coupez-les en dés de 1 cm • 1/2 pouce de côté. Ajoutez-les aux légumes avec les noix grillées.

6 Versez la préparation à base de légumes sur ce fond de tourte et repliez les bords de pâte filo vers le centre de façon à couvrir la garniture.

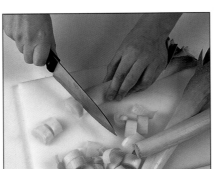

1 Préchauffez le four à 180°C • 350°F. Coupez les poireaux en deux dans le sens de la longueur et lavez-les pour éliminer tout reste de terre. Détaillez-les en morceaux de 1 cm d'épaisseur, égouttez-les et séchez-les sur de l'essuie-tout.

2 Chauffez 40 g • 3 cuil. à table de beurre dans une grande sauteuse, puis faites cuire les poireaux et les carottes à feu moyen pendant 5 minutes. Ajoutez ensuite les champignons, les choux de Bruxelles et l'ail, et poursuivez la cuisson pendant 2 minutes. Versez les légumes dans un saladier et laissez-les refroidir.

5 Faites fondre le reste de beurre. Badigeonnez de beurre fondu l'intérieur d'un moule démontable de 23 cm • 9 pouces de diamètre. Enduisez ensuite 2/3 des feuilles de pâte filo de beurre fondu, l'une après l'autre, puis tapissez-en le fond et les côtés du moule, en les faisant se chevaucher pour qu'il n'y ait pas de trous.

7 Badigeonnez de beurre fondu le reste des feuilles de pâte filo, puis coupez-les en bandelettes de 2,5 cm • 1 pouce de largeur. Recouvrez le dessus de la tourte de ces bandelettes de pâte, en les disposant de façon décorative.

8 Faites cuire cette tourte pendant 35 à 40 minutes, jusqu'à ce qu'elle soit bien dorée et croustillante. Laissez-la refroidir 5 minutes avant de démonter le moule et de la transférer sur un plat.

LE CONSEIL DU CHEF

Si vous préférez que la croûte de la tourte soit plus ferme, badigeonnez la pâte d'œuf battu juste avant de l'enfourner.

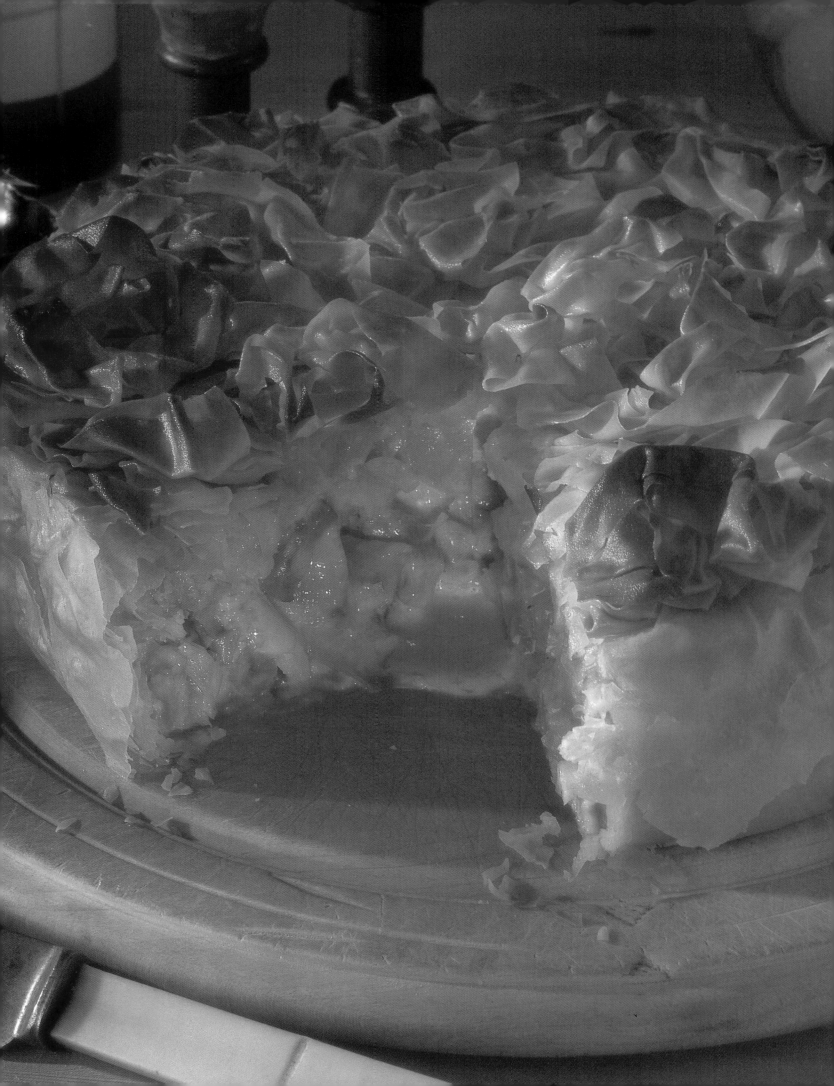

Gougère au chou-fleur et aux champignons

Cette couronne de gougère garnie de délicieux légumes frais est idéale pour un dîner entre amis.

INGRÉDIENTS

Pour 4 à 6 personnes

115 g • 4 oz • 8 cuil. à table de beurre
150 g • 5 oz • 1¼ tasses de farine
4 œufs
120 g • 4 oz de gruyère coupé en petits dés
5 ml • 1 cuil. à thé de moutarde de Dijon
sel et poivre noir fraîchement moulu

Pour la garniture

1 petit chou-fleur
200 g • 7 oz de tomates concassées en boîte
15 ml • 1 cuil. à table d'huile de tournesol
15 g • 1 cuil. à table de beurre
1 oignon haché
125 g • 4 oz de champignons de Paris bien fermés, coupés en deux s'ils sont gros
1 brin de thym frais

1 Préchauffez le four à 200°C • 400°F et beurrez un grand plat à four. Mettez ensuite 300 ml • 1¼ tasses d'eau avec le beurre dans une grande casserole et chauffez jusqu'à ce que le beurre ait fondu. Retirez du feu, puis ajoutez toute la farine d'un coup. Mélangez bien avec une cuillère en bois pendant 30 secondes environ, jusqu'à obtention d'une pâte homogène. Laissez-la refroidir légèrement.

2 Incorporez ensuite les œufs, l'un après l'autre, et continuez à battre jusqu'à ce que la pâte soit épaisse et brillante. Incorporez enfin le fromage et la moutarde, salez et poivrez. Étalez la pâte tout autour du plat, en laissant un espace vide au centre pour la garniture.

3 Coupez le chou-fleur en fleurettes et jetez le cœur dur et ligneux.

4 Préparez la garniture : réduisez les tomates en purée à l'aide d'un mixer, puis versez dans un verre gradué. Complétez avec de l'eau de façon à obtenir 300 ml • 1¼ tasses de liquide.

5 Chauffez l'huile et le beurre dans une cocotte. Mettez à revenir l'oignon pendant 3 à 4 minutes, puis ajoutez les champignons et faites-les sauter 2 à 3 minutes.

6 Ajoutez le chou-fleur et faites-le revenir pendant 1 minute. Versez enfin la purée de tomates et ajoutez le brin de thym. Salez et poivrez. Laissez cuire à feu doux pendant 5 minutes.

7 Versez la préparation à base de légumes au centre du plat, et faites cuire la gougère pendant 40 minutes, jusqu'à ce que la pâte ait bien gonflé.

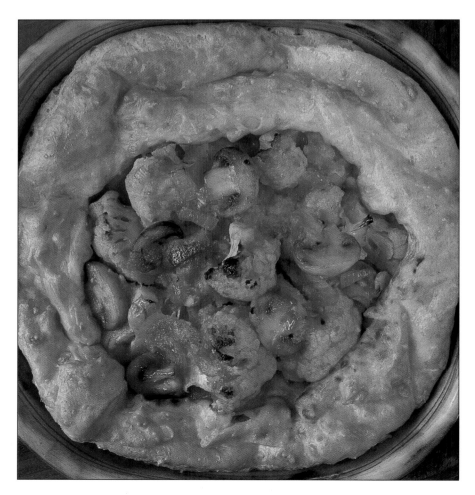

Gratin de pommes de terre, d'épinards et de pignons

Les pignons ajoutent une note croquante très agréable à ce gratin de fines rondelles de pommes de terre et d'épinards nappés de sauce crémeuse au fromage. Servez-le avec une simple salade de laitue et de tomates.

INGRÉDIENTS

Pour 2 personnes

450 g • 1 lb de pommes de terre
1 gousse d'ail pressée
3 oignons nouveaux finement émincés
150 ml • ²/₃ tasse de crème fraîche liquide
250 ml • 8 oz • 1 tasse de lait
225 g • 8 oz d'épinards hachés surgelés, décongelés
120 g • 4 oz de gruyère râpé
40 g • 1¹/₂ oz • ¹/₄ tasse de pignons
sel et poivre noir fraîchement moulu
laitue et salade de tomates pour servir

1 Épluchez les pommes de terre et coupez-les en rondelles très fines. Étalez-les dans une grande poêle à fond épais et anti-adhésif.

2 Parsemez régulièrement les rondelles de pommes de terre d'ail pressé et d'oignon haché. Arrosez de la crème fraîche et du lait.

3 Chauffez la poêle à feu doux et faites cuire les pommes de terre pendant 8 minutes environ, jusqu'à ce qu'elles soient tendres.

4 Essorez bien les épinards pour en exprimer le plus de liquide possible. Mélangez délicatement les épinards aux pommes de terre. Couvrez et poursuivez la cuisson pendant 2 minutes.

5 Salez et poivrez, puis versez la préparation dans un plat à gratin. Préchauffez le gril.

6 Parsemez de fromage râpé et des pignons. Faites gratiner sous le gril pendant 2 à 3 minutes jusqu'à ce que le dessus commence à dorer. Servez avec une salade de laitue et de tomates.

Conchigliettes aux épinards et à la ricotta

Ces grosses pâtes en forme de coquilles sont conçues pour être farcies de différentes façons. Nous vous proposons ici une délicieuse farce aux épinards et à la ricotta.

INGRÉDIENTS

Pour 4 personnes

350 g • 12 oz de conchigliettes (pâtes en forme de coquilles)

450 ml • 2 tasses de passata ou de coulis de tomates

275 g • 10 oz d'épinards hachés surgelés, décongelés

50 g • 2 oz de pain de mie débarrassé de sa croûte et émietté

120 ml • 4 oz • ¹/₂ tasse de lait

60 ml • 4 cuil. à table d'huile d'olive

250 g • 9 on • 2¹/₄ tasses de ricotta

1 pincée de noix de muscade râpée

1 gousse d'ail pressée

2.5 ml • ¹/₂ cuil. à thé de tapenade (facultatif)

25 g • ¹/₄ tasse de parmesan fraîchement râpé

25 g • 1 oz • 2 cuil. à table de pignons

sel et poivre noir fraîchement moulu

2 Versez la passata dans un chinois en nylon et recueillez-la dans un saladier. Mettez-les épinards dans un autre tamis et appuyez avec le dos d'une cuillère pour exprimer tout excédent de liquide.

5 Mettez la préparation aux épinards dans une poche équipée d'une grosse douille et garnissez-en les pâtes (si vous n'avez pas de poche à douille, vous pouvez garnir les conchigliettes à la cuillère). Disposez les pâtes farcies sur la sauce tomate.

3 Mixez ensemble le pain, le lait et 45 ml • 3 cuil. à table d'huile. Ajoutez ensuite les épinards et la ricotta, puis salez, poivrez et assaisonnez avec la muscade. Mixez brièvement pour bien mélanger le tout.

6 Réchauffez les pâtes en les passant au four pendant 15 minutes. Parsemez enfin de parmesan râpé et de pignons, et glissez le plat sous le gril pour faire gratiner le dessus.

1 Préchauffez le four à 180°C • 350°F. Portez une grande casserole d'eau salée à ébullition. Mettez les pâtes à cuire selon les instructions de l'emballage. Passez-les sous l'eau froide, égouttez-les et réservez-les.

4 Mélangez la passata, l'ail, le reste d'huile et éventuellement la tapenade. Étalez cette sauce en une couche régulière au fond d'un plat à four.

LE CONSEIL DU CHEF

❧

Faites cuire les pâtes dans une grande marmite et remuez de temps en temps pour éviter qu'elles ne collent entre elles. Si vous ne trouvez pas de passata, ni de coulis de tomates, prenez une boîte de tomates concassées et réduisez-les en purée en les passant au chinois.

Index

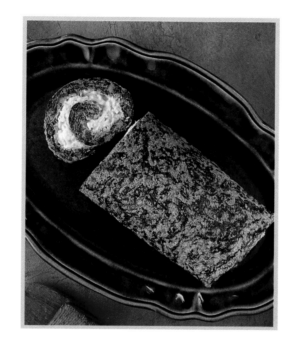

Remerciements

*L'éditeur souhaite remercier les personnes suivantes
pour leur contribution à cet ouvrage :*

TEXTES

Michelle Berridale-Johnson, Angela Boggiano, Carla Capalbo,
Jaqueline Clark, Carole Clements, Metthew Drennan, Sarah Edmonds,
Joanna Farrow, Christine France, Silvana Franco, Sarah Gates, Shirley Gill,
Shehzaid Husain, Christine Ingram, Peter Jordan, Manisha Kanani,
Elizabeth Lambert Ortiz, Ruby Le bois, Lesley Mackley, Sue Maggs,
Sallie Morris, Annie Nichols, Anne Sheasby, Stephen Wheeler,
Kate Whiteman, Elzabeth Wolf-Cohen, Jenni Wright.

PHOTOGRAPHIES

Karl Adamson, William Adams-Lingwoog, Edward Allwright, Steve Baxter,
James Duncan, Michelle Garrett, Amanda Heywood, Janine Hosegood,
David Jordan, Patrick McLeavey, Thomas Odulate, Peter Reilly.

STYLISME

Madeleine Brehaut, Carlo Capalbo, Michelle Garrett,
Amanda Heywood, Clare Hunt, Patrick McLeavey, Marian Price,
Kirsty Rawlings, Judy Williams.

CONSEILS

Hilary Guy, Jane Hartshorn, Wendy Lee, Lucy McKelvie,
Jane Stevenson, Stephen Wheeler.

AIDE À LA PRÉPARATION DES RECETTES

Alison Austin, Jane Brinkworth, Marilyn Forbes, Wallace Heim,
Beverley Le Blanc, Blake Minton, Jane Wallington.